JN078826

互立論

― みんな幸せに生きていこう ―

青沼爽壱

東京図書出版

はじめに

世界を震撼させたコロナウイルスの感染者は2023年４月に累計７億人を超え、その中には死亡者も691万2080人いたけれど、最近は少し落ち着いてきたようである。

同年に世界の貧困者は約40億人となり、その中には餓死寸前の超貧困者が約８億人いるけれど、2024年１月非政府組織オックスファムは「世界人口の約６割にあたる約50億人が以前より貧しくなった」と指摘している。

そしてコロナにはワクチンなども開発されているが、「世界の貧困」に抜本的な改善策がない(注)ようなのである。

（注）現在は博愛心のある人の寄付金やボランティア活動などで部分的な地域の人だけが救われており、これが限界なのであろう。

日本の貧困については藤田孝典著『貧困世代』講談社（2014）や荻原博子著『隠れ貧困』朝日新聞出版（2016）などが実態を述べ憂慮しているけれど、厚生労働省は「貧困者は６人に１人（全人口の約15％）」と発表しているためか一般に日本人は「世界の貧困」を深刻な状態と思っていないようであるが、「６人に１人」としても日本には2000万人の貧困者がいるのであり、そのうえ最近は就職できない者たちや働いているのに生活の苦しい人たちも多くなってきている。

なお、厚労省が実施している交流サイト（SNS）での生活相談事業の利用者が2021年度には約25万9800件も殺到して対応が追いつかずパンク状態になっており、「生活苦で将来が不安だ」との声も多いといわれているし、この交流サイトにメッセージを送らないで苦しんでいる人もかなりいると思われる。

また、自由を求める国と平等を主張する国は常に反目し合っていて、世界各地で勃発している内戦・紛争などにそれぞれの大国が背後についたりし世界はいつでも**間接戦争**をしているが、2022年２月にはロシア軍がウクライナを侵攻し10月に**核戦力部隊**の演習を実施している。

さらに、８月26日に国連本部で開かれた核拡散防止条約（NPT）再検討会議は最終文書を採択できず決裂し閉幕したが、ロシアはウクライナ南部にある欧州最大級のザポロジエ原発を何回も砲撃し死亡した原発職員もおり、以前に大惨事のあったチェルノブイリ原発もロシア軍によって停電させられたりしているので、原発施設に問題が生じれば核兵器を使用するよりも大事故となることから「もし爆発が起これば欧州は終わるであろう」とも懸念され、国際原子力機関（IAEA）の専門家が常駐することになったザポロジエ原発は９月５日にも砲撃されて火災が起こり、原子炉を冷却する機能は維持されているものの予断を許さない状況であり、南ウクライナ原発もロシア軍のミサイル攻撃を受け原子炉建屋が損傷したのである。

この僅差距離で炸裂した砲弾やミサイルが原子炉に命中していたならば、今頃はヨーロッパ全土が核汚染によって壊滅しただけにとどまらず世界中がその余燼を受けたであろうし、それが引き金ともなりアメリカやアジアなどで自爆も厭わないテロリストたちに原子炉施設が襲われたりすれば全人類の生命も保障されないことになるであろう。

2023年2月23日の国連総会では「ロシア軍に即時撤退を求める決議案」を141カ国の賛成により採決したが、同23日にプーチン大統領は今後も「核の（陸海空での）三本柱を強化する」とし多弾頭の次世代型大陸間弾道ミサイル（ICBM）「サルマト」の実戦配備など**核戦力増強策**を示した。

以上のような**自由・平等両主義の社会**による現在の世界は市場経済制度が主流であるから所得格差が拡大し大勢の貧困者を出しており、真に民主主義ではない政治体制の国ばかりなので戦争状態が続き戦禍に苦しむ人たちも多くいるのである。

このような世界を改善しようとは思わず「今のままで良し」としているならば、たとえ私たちの世代が生きられたとしても子孫は「生きていけなくなる」であろう。

私たちと子孫が貧困や核戦争などで死滅していくであろう状態なのに、何もしないでいるべきではない。

先ず「生き残る」ことを考えねばならず、次に**友愛主義の社会**にすることにより世界中の人々が平和で幸せに暮らせるようにすべきであるが、その一助になればと本書を上梓した。

目 次

序　章　世界の現状

第1節　基本的人権の危機

現代の社会は民主主義的なのだと思わされているから「民主主義の危機」などと言う人もいるけれど、実際に各国が行っている**政治体制**は真に民主主義的ではないので世界には戦乱で苦しむ人々が多くいるし、個人の利益を優先させる**市場経済制度**が世界の主流であるため所得格差は拡大し大勢の貧困者がいるようになったのである。

また、一般によく働けば富が得られる（自己責任）と思わされているけれど、現実には努力した人が必ずしも富を得られるものではなく、真面目に働いているのに倒産する者さえいる。

現代は運が良くて贅沢に暮らせる者や運があって普通に暮らしている者もいるが、運のない者はいくら働いても生活が厳しいし、運が悪くて生きてゆけない者もいる。

これらの状態から「各人の人生は運に左右される」ように思われてもいるが、本当は現在の資本・共産両主義社会の**政治体制・経済制度に欠陥がある**から働いているのに生活の苦しい人々がいるようになったのである。

そして、日本では沖縄や四国・九州の一部に貧困率の高い県もあるが先進国で豊かな時代もあった。そのため飢餓の恐ろしさに実感の湧かない人々もいるが、「世界の貧困(注)」はコロナ不況とも重なってより酷くなりそうである。

(注) 水野和夫著『資本主義の終焉と歴史の危機』集英社(2014)、ジョセフ・E・スティグリッツ著『世界の99%を貧困にする経済』徳間書店(2012)、西川潤著『データブック貧困』岩波書店(2008)等参照

オックスファムの報告書にも「富裕層上位の1%に世界の富の82%が集中している」と記されており、富裕層とそれ以外の層との格差が急速に拡大しつつあるとして「世界人口の1%の持つ資産の総額が残る99%の人々の資産と同額になる可能性がある」と推計している。

このまま世界を資本・共産両主義だけの社会にしておくならば、世界人口の大多数である私たち(中流・貧困層)および子孫の基本的人権はかぎりなく「世界の貧困」に侵されていくことになるであろう。

その真相をよく見極めこれを改善し、働いている人は貧困に苦しめられない社会にしていくべきである。

第2節　激動する世界

2011年3月に起きた反政府デモが発端のシリア紛争はロシアやイランが政府側を、欧米諸国やトルコ・アラブ諸国は反対派を支援し世界中の国が**間接的な戦争**を続けていて7年目には

死者が40万人、難民は500万人を超えており、アフリカ各地においても内戦とテロが頻繁に発生している。

また、2014年２月からクリミア半島（クリミア自治共和国）とウクライナ東部ドンバス地方で発生した騒乱は、ウクライナ政府軍と親ロ派武装勢力やロシア連邦政府・軍との紛争になり、ウクライナ側戦死者約2900名、ロシア側戦死者5500〜8000名を出している。その後、ロシアはクリミア共和国をロシアに編入する宣言をしたが、世界各国はそれを認めなかった。

さらに同年７月から起こったパレスチナのガザ地区の大規模戦闘は一時停戦と戦闘再開を繰り返し、イスラエル軍に破壊された全壊建物は約１万1000戸と言われている。

その５年後になっても住民は再建の資金不足に悩み、小競り合いの戦闘は絶え間なく、空爆の度に人々は逃げ惑い、恐るべき失業率に疲弊し家族を失って絶望の日々を送っている。

そして、2015年１月にはパリ市内の週刊誌編集会議を狙ったテロによる銃撃戦や立て籠もり事件があり、多数の市民も殺戮された。

ある学者は、若者が生きづらい社会に「テロリズムのつけ入る余地があり」彼らは扇動されるまま実行におよんでしまったのであろうと指摘している。

この指摘の通りであれば、「生きていく自由」を失うことに反抗した若者が皮肉なことに「言論の自由」を失わせようとするテロリストの手先に使われたことになる。

実は、長引く中東での戦場で多数の戦闘員が死傷してもイスラム国の戦力がなかなか衰えないのは欧米の若者たちの一部がテロ組織の国へ流入しているからだともみられ、「資本主義の社会では生きていけない」という絶望感(注)が、これらの若者たちを過激派組織に加わるよう扇動した事実も否定できないのであろう。

(注) 堤未果著『ルポ　貧困大国アメリカ』岩波書店 (2008)、『ルポ　貧困大国アメリカII』(2010)、広瀬隆著『資本主義崩壊の首謀者たち』集英社 (2009) 参照

さらに過激派組織イスラム国は、同月24日に湯川遥菜さんを、2月1日には後藤健二さんを殺し、10日アメリカ人としては4人目のケーラ・ミュラーさんをも殺害した場面などの映像を公開放映した。

このニュースは世界中に衝撃を与え、6月の主要7カ国首脳会議(G7サミット)では、「イスラム国を壊滅させる」との声明を発表。

しかし、その道筋もまだ見えないうちに、難民などに紛れ込んだテロリストたちが11月13日パリ中心部の劇場・飲食店や郊外の競技場等を同時に襲い銃を乱射し爆発を起こして観客など128名を殺し約250名の負傷者を出し、16日のG20首脳会議では「テロとの戦い」が全ての国にとって主要な優先課題であることを確認し、各国の連携と決意を表明したのである。

それにもかかわらず、2016年1月にはインドネシアでテロにより民間人が殺され、3月にはベルギーの首都ブリュッセルの地下駅と郊外の空港では自爆テロが相次いだ。

この事件で32人が死亡し340人が負傷したけれど、逮捕された容疑者には、前年パリのテロ実行犯として指名手配されたメンバーも含まれていたという。

同年7月フランス南部のニースで、12月にはドイツのベルリンで、それぞれトラックの突っ込みによる死亡者を出したけれど、この件についてはブリュッセルのときと同じ過激派組織「イスラム国」が犯行の声明を出している。

続いて2017年1月にはトルコ・イスタンブールで銃乱射事件があり100名以上もの死傷者を出し、イラクの首都バグダッドでは前年末から今春にかけて、自爆テロなど連日のようにあり多数の死亡・負傷者を出し、3月から6月までは英国で国会議事堂・コンサート会場およびロンドン橋でテロリストたちによる惨劇が行われ、10月には米ラスベガスの銃乱射で58名が殺害された。

さらに、2018年2月には米フロリダ州の高校生17名が射殺され、5月パリのオペラ座近くで5名の死傷者を出し、10月米ペンシルベニアの教会堂で11名が銃撃されて死亡、11月にはロサンゼルス郊外でも12名が殺され、2019年3月にニュージーランドの礼拝堂で執拗な銃乱射事件が起こり49名が死亡した。

そして、2021年2月に起きたミャンマー抗議デモは中国が支持する国軍と民主派の反抗で死者1192名を出し、2022年2月からはロシア軍がウクライナに侵攻し病院・学校等も破壊して多数の子供や民間人たちが殺害されている。

以上は領土問題や宗教的軋轢などにもよるが、それぞれの国の政治的失敗や経済的破綻などで大勢の貧困者を出していることも原因と思われる。

それ故に「テロとの戦いが優先課題」と確認したり「各国の連携と決意」を表明するだけでなく、まず「世界の貧困」を解決してゆくべきであろう。

第１章　貧困社会の真相

最近は市場経済が世界の主流であるが、この制度には「富の偏倚」と「虚の富」という大きな欠陥があり世界人口の約半分が貧困者になったのである。

第１節　富の偏倚

「世界経済にとって最大脅威としての所得格差」を取り上げる世界経済フォーラム年次総会（ダボス会議）は、毎年１月に開催される。それに合わせて貧困問題に取り組む非政府組織オックスファムが2020年に出した報告書に「世界の富豪上位８人の資産は、世界の全人口の半分に当たる下位層約36億人の総資産に匹敵する」と発表した。

そして、それは2010年に世界富豪388人で匹敵していた資産であり2015年には85人で匹敵するようになり、2019年に26人そして2020年は８人でと**富の偏倚**は激増しているのである。

また、世界に10億ドル（2010年のレートで約1100億円）以上の資産を持つ大富豪は2010年に1011人であったが、2018年には2208人と倍増しており、そのトップ級のジェフ・ベゾスは下記のとおり僅か２年間で約５兆8400億円もの資産を増やしているけれど、その反面では一生懸命に働いているのに貧困者となる者が大勢いるのである。

フォーブス誌の世界長者番付では、

2017年	1位	ビル・ゲイツ	860億ドル
	2位	ウォーレン・バフェット	756億ドル
	3位	ジェフ・ベゾス	726億ドル
2019年	1位	ジェフ・ベゾス	1310億ドル
	2位	ビル・ゲイツ	965億ドル
	3位	ウォーレン・バフェット	825億ドル

となっているが、これらからも最近はごく少数の富豪に恐ろしい程の勢いで**富の偏倚**が行われていることが分かる。

また、それによるかのように所得格差は拡大し世界の大多数の人々の収入が減少していくようなのである。

第2節　虚の富

現代は資本主義の国は勿論であるが、共産主義の国までもが投機・金融商品などで儲ける富裕層が経済格差を拡大させ(注)一般の国民や人民をますます貧困にしている。

（注）浜矩子著『死に至る地球経済』岩波書店（2019）参照

この事について、井村喜代子著『世界的金融危機の構図』勁草書房（2010）にも「投機は何の価値を生み出す事がない（中略）これらの結果、産業空洞化は深化して経済停滞、失業、賃金抑制を促す」と記されている。

投機や金融商品等によって得られる富は食糧や生活用品等を生産するなどによって得られる**実質的な富**とは異なって、実質的な富を交換するために使用されるようになった（実質的富を裏打ちするにすぎなかった）金で金を得るものであり、働かずに得られるという完全に**虚の富**なのである。

しかもこの虚の富は、実際に本人が働いて得る実質的富よりも収益率が非常に高いと同時に損失率も高いという、博打的経済行為によって得られるものである。

しかし、利潤の獲得を第一としている市場経済制度の金融関連会社は、投機の収益率の高いことを謳うが損失率も高いことには気がつかないようにさせている。

そして、2019年の世界総生産（GDP）は約85.9兆ドルであるが、同年の金融資産総額は約360兆ドルでありGDPの約4.18倍も出回っているのである。

人体にきれいな血液が循環していたからこそ健康であったように、世界経済も〈実質的な富〉と同額の（裏打ち）金だけが流通していたころは社会も健全であった。

そこに膨大な〈虚の富〉が混入したので、世界人口の半数以上もの貧困者がいるようになったのであろう。

〈虚の富〉は、ごく少数の富裕層には上手い儲けの手口に利用されているけれど、世界の大多数である中間・貧困層にとっては毒素を含んだまま体を流れる血液のようなものである。

さらに、投機のプロたちは価格の変動に乗じて儲けようとし、資金もあるからバブルさえも自分たちでつくっては利益を得ているのでタチが悪いとも言える。

従ってバブルが崩壊してもプロのギャンブラーや富裕層への影響はないけれど、その度に市場は混乱し一般市民の生活は一段と悪化している。

また、「投機の資金は借り入れに依存する傾向」が強いので、投機の失敗は資金の借入先に損失を与え金融市場に混乱をもたらすと言われているが、借り入れのできる少数の富裕層や銀行などは損をしても何度でも投機（博打）をし、失敗も取り戻す機会を持つことができるのである。

それに比べて簡単に借り入れのできない一般市民の多くは、失敗すると再び博打につぎ込めるだけの余裕がないので常に損失をかぶっているだけになりがちである。

つまり、金融商品や投機は資金の少ない一般市民は損をする割合が多く資産家たちはいつでも儲けているのである。

そして、金融機関の間では暗黙の了解事項として「儲かる時にはドーンと大きく儲け、損をするなら巨額の損失をする大博打を打て」と言われている。

これは、儲けを自分のものにしてしまうが**損失は国民に穴埋めさせている**(注)からであり、それによっても経済格差は拡大しているのである。

(注) 増田悦佐著『日本と世界を直撃するマネー大動乱』マガジンハウス（2012)、朝日新聞「カオスの深淵」取材班著『民主主義って本当に最良のルールなのか、世界をまわって考えた』東洋経済新報社（2014）参照

2008年の世界金融危機の際にも、アメリカ政府は国民の納めた税金を使い投機行為の穴を後始末している。

しかも同時に実体経済の生産企業を助けるより先に金融関係企業を支援したから、いち早く立ち直った金融部門の幹部社員たちは以前にも増して高額な報酬を得ている。

このことは2014年にニューヨーク共同通信が、2008年のリーマン・ショックの後で「高すぎる」と批判の的になっていた金融大手関係者の報酬が、翌年相次いで引き上げられたことを報じたので明らかになった。

JPモルガン・チェース・アンド・カンパニーの経営者であるジェームズ・ダイモンの報酬総額は前年度比で7.4%増の2000万ドル（約22億8000万円）と伝えられ、ロイター通信も元ゴールドマン・サックスのブランクファインCEOの報酬が前年度比10%増の2300万ドル（約26億2000万円）であると報道している。

また、景気浮揚策として行われている金融緩和は、投機などを活性化させるだけで実質的な経済を成長させるものではないようであるのに、日銀は2013年４月に引き続き2014年10月にも金融緩和の追加を決め、国債を購入し市場に供給する金を今までの年間60兆～70兆円を80兆円に増やそうとし2015年３月の委員会は賛成多数で決定したが、経済の実力が底上げされないまま市場に大量の（虚の）金が出回り続け行き場を失ったマネーは不動産や株式等の投機に向かうことになるので、再びリーマン・ショックのような金融危機状態になる可能性が大である。

更に、2016年７月、日銀は追加緩和を決めた。これは輸出型の大企業を潤すアベノミクスの株高・円安政策に沿うもので、輸入物価を上昇させ中小企業や一般の家庭に苦痛を与えたけれど、2018年１月にも金融政策決定会合は金融緩和策の継続（注）を決めている。

（注）最近の新聞には「日銀は黒田総裁の下で10年にわたり大規模な金融緩和を続けてきたが（中略）金融政策の限界や副作用が目立ってきた」とも報道されている。

そして、各国の政府は株価が上昇するとその国の「景気が良くなった」かのように錯覚させようとし「わが政策がいかに良いか」と胸を張っているけれど、下降した時には口を閉ざしている。しかし、株価の上下は実質的な富の増減には何の関係もないであろう。

第３節　貧困問題の変遷

世界には運の良い約１％の富裕層と運の悪い約10％の超貧困層および約90％の中流層と貧困層がいて、後者の約90％はよく働く人とそうでない人とに分かれており、それは自己責任であると一般に思われているが、現実にはよく働いているのに生活の苦しい人も多い。現在の市場経済制度に欠陥があるからで改めねばならないのに、人々の多くは「現状の社会のままで良いのでは」と楽観視している。

そして、2011年６月パリで開催された「G20」においてフランスが金融規制を訴えたが、資本主義各国の意見は「どこまで投機によるものか」が明確でないとする傾向が強かった。

また、日本では「ノックイン型投資信託」(注)の販売をめぐりトラブルが相次いでいた事も報道されている。

(注) 証券会社よりも安全と印象のある銀行が「条件付き元本確保型」とか「リスク軽減型」と銘打ち販売した金融派生商品で、多くの購入者、とくに高齢者を困窮させた。

この市場経済制度の弊害は明らかであるとして、ソ連などが計画経済制度の社会で人類を幸せにしようとしたけれど、計画が杜撰で生産量も誇張されるなどの誘因構造で生産性の低い結果を出してしまった。

それ故にソ連は1991年に崩壊しロシアに戻り、財産私有化への道を選んだので10年くらいの間に資産を持てた少数者と持たざる多数の人民に分かれるようになったのは、政治体制が依然として独裁であり自由化も中途半端だったからであろう。

なお、ロシア（人口約１億4000万人）はGDPが１兆8577億ドルしかないが、日本（人口約１億2000万人）は５兆8703億ドルである。同様に、中国（人口約13億5000万人）のGDPは７兆2037億ドルでアメリカ（人口約３億800万人）が14兆9913億ドル（注１）なのであり、社会主義の国々におけるGDPの低調さは歴然としている。

更に、ロシアでは贅沢な生活をしている共産党上層部の汚職が酷い（注２）らしい。

そのため毎年300万人ずつ貧困者が増えているとも伝えられるが、最近は「外貨建住宅ローン」で購入させられた多くの人民たちが、2014年頃からのルーブル下落により支払い不能に陥るようになっているという。

それは、日本でも2017年１月にNHK、BS1チャンネルのドキュメント番組で「マイホームを奪わないで、モスクワ経済危機の冬」として放映されている。

（注１）上記の数字は『世界国勢図会2011/12』矢野恒太記念会編集発行のものである。

（注２）世界の「清潔度」ランキング調査ではドイツ・フランス・英国・アメリカ・日本等が10～20位であるが、ロシア・中国・北朝鮮は100位台となっている。

市場経済の社会は、各人が自由に儲けて生きてゆこうと欲につられ働くため、計画経済の社会よりはGDPが高い。

けれども、この仕組みは大企業や富裕層には有利であり中小企業や一般市民にとってはまことに不利なのである。

日本の総務省が全国消費実態調査などを基に財務省に作成させた資料によると、年収300万円未満(注)の壮年層世帯が1991年の3.6％から2009年には7.1％に増えており、若年層世帯はより悪い状態であると発表されている。

(注) 国や地方自治体で働きながら貧困に苦しむ人の現状を考える「官製ワーキングプア研究会」は、年収200万円未満で長く働いていても昇給はないと公表し、民間には200万円以下の者や失業者が多くいる実状が何度も報道されている。

また、2017年の調査によれば働いている者6621万人のうちの（約４割）2133万人が簡単に馘首されるパートや派遣などの非正規労働者で、それらが増加傾向にあるとされている。

その原因は資本主義（市場経済）の社会に**友愛が欠けていて**、各人の「儲ける自由」を第一とし他人の「生きていく自由」を考慮しないからであろう。

そして市場経済の企業は、コスト削減が必要な場合にいつでも従業員を馘首できるように派遣やパート労働者を多くし、社員たちを使い捨てにしようとしているのである。

これら市場経済の欠陥は以前から知られており、正義感に燃える人や学生たちがストライキを起こしたりデモなどで反対した事もあるが、市場経済に代われる経済制度を示すことができないでただ反抗するだけであったから官憲に制圧されるか自然消滅してきたのである。

そして、国連は2015年に「持続可能な開発目標（SDGs）」として17項目を定め、その一番目に掲げた目標が「貧困をなくそう（No Poverty）」である。

しかし、友愛のない自由・平等両主義の国々では多数の国民を貧困にした〈虚の富〉を放任し、〈富の偏倚〉も制限しないから「世界の貧困」は決して解決できないであろう。

第２章　非民主主義的な現代政治

⑴ 日本の現状

2015年２月に政治資金問題の責任を取る形で、当時の西川公也農林水産大臣が辞任した。2012年12月の第２次安倍政権発足以降、実に３人目の閣僚引責辞任であった。

政府は相次ぎ発覚した「政治とカネの諸問題」について、再発防止を検討することを公表したが、その本気度が認められないと報道陣の声が高まる矢先、今度は2016年１月に、金銭授受疑惑の責任を取って甘利明氏が内閣府特命担当大臣（経済財政政策）を辞任。

さらに2017年に安倍首相と夫人が森友学園・桜を見る会問題で渦中の人となり、内閣府特命担当大臣（地方創生、規制改革、男女共同参画）及び女性活躍担当大臣の片山さつき氏の国税庁関係疑惑も報じられ、2019年８月には厚生労働政務官だった上野宏史氏が口利き疑惑で辞任したが、2020年６月河井克行元法務大臣も公職選挙法違反で逮捕されたのである。

政治と金の癒着問題は以前からであり、1974年の参議院選において当時の田中角栄首相は経団連に260億円を用意させ、さらに100億円を借り入れたとして司直の取り調べを受けることになった。

当時、自由民主党内部では選挙費用が「一人２億円が相場」

だといわれていたと聞く。もちろん現在でも、現職議員たちは次の選挙に備えて資金を準備しているようである。

その議員たちの「1年間の総支出の平均は1億1645万円」であるというから驚くが、議員たちの多くは以前に出した多額の出費を補ったうえで次の選挙資金を用意しなければならない。

それを大企業や富裕層は利用し「少数の富裕者に有利で、大多数の国民には不利」な政治が行われるように贈収賄しているのであろう。

また、現在は経団連が政党の政策評価をして政治献金の判断基準としているが、本来は国民が議員の政策評価をして議員選出の判断基準とすべきなのである。

なお、2012年に献金の目安となる政策評価を廃止した**民主党**政権当時の総務省は、政治資金収支報告書に政治献金など144億2000万円と公表し、これは過去最低であると報道された。

それに反して与党に復帰した**自民党**は、2013年の本部の総収入だけでも233億円と報告している。

このように献金額の低かった民主党ではあるが資本主義系の議員をも多く抱き込まねば与党になれなかったために、期待したほど民意を反映できず政権をとっていた期間も極めて短かったのである。

そして、政権が自民党に戻ってからは経団連が政治との連携強化に一層意欲を示すことになった。

これに対して政府も解雇規制緩和などを検討したが、それは**大企業・資本家を優遇し**働こうとする**国民に職場を失わせる**ものであった。

そのうえ、政府は景気回復のためにと金融緩和を繰り返させているけれど、緩和された金は中小企業などには回らず、富裕層のマネーゲームを促し投機などを盛んにし、一般国民をますます貧困にしたのである。

それは、日本経済新聞が2014年４月の株価下落の原因を「日銀による追加**金融緩和観測が支えた**先週までと異なり、今週は１週間で1100円も下落（中略）緩和頼みの相場のもろさが浮かび上がる」と報道した事からも知られるであろう。

更に、アベノミクス（注１）は先ず「大企業の経済成長を図るべきであり」、それによって「中小企業も潤い国民の生活は向上していく」と説明しているが、大企業と中小企業の業績格差は2012年の10兆円から2015年の19兆円（注２）と３年間で急拡大しているのであり、いかに「国民のために政治を行う」かのように偽装していても実際には「富裕層・大企業にとって有利な政治をしている」ことが明白である。

（注１）安倍首相が自画自賛した経済政策。

（注２）財務省の法人企業統計を基に、三菱UFJリサーチ＆コンサルティングが試算した数字。

藤田孝典著『貧困世代』講談社（2016）は「非正規雇用の拡大やブラックバイトなどでわが国の将来を支える若者たちが今後も生活の困難さや貧困を抱えていく（資本主義の）社会構造」と指摘し、労働運動総合研究所（東京）の調査によっても今やブラック企業などの被害は「若年層だけでなく各年齢層まで広がり、さまざまな業種にも及んでいる」と記されている。

ことに日本の農民はときおり耕作地を離れて、不安定で給料の安い日雇い労働者にもならなければ生計が立たない者が多かったので、1920年頃までは5000万人以上いた農民が1960年には1460万人となり、1990年の農業就業人口は480万人（注）に減少したし2016年には192万人になったのである。

（注）毎年２月１日時点で調べる農水省の農業構造動態調査による数字。そして、漁業就業者も政府の2018年度水産白書に2017年は15万3490人であるが、約30年後の2048年には７万3000人になる見とおしと報告されている。

この状況に対して、政府は若い世代の就業を後押しし農業を成長産業に変えようと公表した。

しかし、その一方で大企業にとっては有利であるけれど、中小企業と農民には打撃を与えることになる環太平洋連携協定（TPP）を推しすすめていたのである。

このTPPは政府の説明に反して、「輸入米が国産米より安価で国内に流通している事」も発覚し、いっそう農業従事者に不安を与えたのである。

この政府の経済成長戦略やTPPとの経済連携、原発再稼動を推進するなどの政策を経団連は高く評価し、榊原会長は2016年10月記者会見で「金で政策を買うという意識はない」と述べながらも、同時に「政府との連携は不可欠だ」と強調し更なる自公政権への献金を呼びかけている。

それに対して安倍政権は12月９日にTPPの関連法案を成立させ、14日に年金支給額抑制策である年金制度改革案、15日にはカジノ解禁を柱とする統合型リゾート施設（IR）整備推進法の修正案も強引に可決させた。

さらに2018年７月にはIR整備法（注）を参院本会議で与党などの賛成多数により可決、成立させ、2019年８月に大阪府、和歌山、長崎両県に続き横浜市がIRを誘致したいと表明し、カジノが全国３カ所を上限に解禁されそうであったときにIRを巡る汚職事件で担当の内閣府副大臣秋元司容疑者が逮捕され複数の国会議員にも捜査が波及した。

それにもかかわらず、政府は2020年１月にカジノ管理委員会を発足させてしまったから、不安や反対の声がますます多くなったのである。

（注）政府はカジノを中心とする統合型リゾート施設（IR）を「海外観光客を誘致し雇用の安定・消費拡大につながるものである」と釈明しているが、米国ではカジノが過当競争により相次いで閉鎖しており、トランプ大統領の所有する大型カジノホテルも2018年10月から営業を停止している。

日本は昔から瑞穂の国といわれ農耕民族であるのに、農民が国民の約0.016%ともなり食糧の自給率が40%を下回るようになってから長いのに政府はカジノなどに力を入れ、本腰で農民を助けようとはしないのである。

その後、米国の離脱でTPPが数カ月も頓挫し焦りを感じたのか、2017年7月にベルギー訪問中の安倍首相は欧州連合（EU）のトゥスク大統領らと会談。日本とEUの経済連携機構（EPA）に大枠合意したと宣言し、2018年7月EPAに署名してしまった。

これによって（大企業の）車産業などは米国・中国に次ぐ3位のEUと結びつき利益を上げられそうであるが、農業などの弱体化は避けられず、特に乳製品の犠牲はTPPを上回ると見られている。

そのEPAが2019年2月に発効し農林水産物の82%が関税撤廃されてしまったけれど、日本の国会がその承認のために費やした審議時間は6時間にすぎなかったという。

また、EUでは農家の減収などを補うため直接支払制度により生産者を守り、高い自給率を維持している。

しかし、安倍政権は「攻めの農業」のかけ声だけで準備も戦略も不十分のまま市場開放を急ぎ、12月4日に日米貿易協定が参院で自民・公明両党などの賛成多数で承認され2020年1月1日に発効されたが、北海道の農業への打撃は必至とみられる。

これら安倍一強政治の「おごり」に対する世論の不信感を回避するかのように突然2017年９月28日衆院を解散し、10月10日に選挙を公示し22日に投票を行った。

このときには野党の分裂・合流等に乗じて勝利できたので公式の場では首相も低姿勢を印象付けようとしていたが、2018年に安倍政権を揺るがす**加計・森友**（文書300カ所改ざん）**疑惑**が浮上し、地検特捜部の捜査が入った。

これにより国民は正しい審判があると思っていたが、財務省幹部ら関係者38人全員が不起訴にされただけでなく、停職３カ月の佐川宣寿理財局長は後に国税庁長官となった。

また、佐川局長の後任で首相夫妻の立場を擁護し「文書厳重注意」の処分を受けた太田主計局長も、2020年７月には財務省事務次官に昇格したのである。

そのうえ、これらの裏工作を仕切った元検事の黒川弘務事務次官は「官邸の守護神」(注１) と言われており、2019年１月に東京高検検事長となった。

そして、東京地検特捜部が捜査に入った**桜を見る会**(注２) でも首相夫妻を守護していた黒川検事長の定年が近くなったので、首相は先例のない検事の定年を半年間延長する閣議決定(注３) をさせ、この先例のない定年延長を正当化するため、安倍首相は検察庁法**改正を成立させると言明**した。

この手前勝手な言動に国民の支持率は低下し、2020年５月に会員制交流サイト（SNS）での批判が拡大し**改正は廃案**となったのである。

（注１）黒川次官が６年間行政官僚であった2014年には、小渕優子経産相の政治資金規正法違反を元秘書のみの立件で終了させ、16年に甘利経済再生相の斡旋利得違反でも全員を不起訴にし、18年には上記のとおり加計・森友疑惑で東京地検特捜部の捜査をかく乱した。

（注２）「桜を見る会」は従来参加者が１万人程度であり、予算も毎年1767万円くらいであったけれど、第２次安倍政権以降は首相と昭恵夫人が招待者の人選に関与し、マルチ商法と認定された会社の幹部たちまで招待して参加者を約１万8000人とし予算額を以前の３倍以上にしている。また、招待者の名簿保存期間を短くし地検が捜査に入った時には書類を全部廃棄したと言わせている。

（注３）これは黒川検事長を次期に（定年の長い）検事総長にするための布石と憶測されていた。

かかる状況であるのに、黒川検事長は賭けマージャンが好きでよくやっていたそうで、パイ卓のある記者宅往復のタクシー代もすべて新聞社に持たせていたことなどが発覚し、辞職せざるを得なくなってしまった。

その賭け金こそ安かったとはいうものの、検察庁の要職でありながら法律を無視するような人間であったからこそ、首相の守護神役を引き受けていたのではとも思われる。

さらに、後任として東京高検検事長になった林眞琴を、７月14日の閣議で検事総長にしたけれど、この人も行政官僚であった時期があったことは軽視できない。

今後もこのような人事が続いていくならば、日本の検察庁関連の人々に「正義」はなくなることであろう。

また、安倍政権が自民党歴代首相が守り抜いてきた**「平和憲法」を壊し**戦争を認めさせようとしていることは憲法改悪を意図しているとしか考えられない。

この法案が通れば国民は基本的人権を失い、「公益および公の秩序に触れた」と判断されては言論の自由がなくなり、首相が「緊急」といえば簡単に戦争に駆り出され、従わない者は逮捕・処刑(注)されそうなのである。

（注）想田和弘著『熱狂なきファシズム』(44～51頁）河出書房新社（2014)、荻野富士夫著『よみがえる戦時体制 ― 治安体制の歴史と現在 ―』集英社（2018）参照

最近は、国民が気のつかぬうちに思想・言論も制圧されるような社会情勢になってきており、このままでは軍国主義時代と同様に日常の生活でさえ息を殺して暮らさねばならないかもしれず、それは国民がみな個人の自由を奪われ、国家権力の意のままにされることでもある。

安倍首相の唱える「美しい日本の憲法をつくる国民の会」の実体は、「平和な日本の憲法を壊す首相の会」であろう。

さすがに、2015年になって人文系や自然科学系なども加わっている、法律とは限らない学者らのグループ「安全保障関

連法に反対する学者の会」（6月15日現在で約2700名）が、政府に対して憲法を無視した法案を撤回するよう声明を発表した。

けれども、安倍首相は同意しない委員たちを馘首して、日頃から懐柔している大手の新聞社や放送局の上層部（注1）を通じて憲法解釈変更の説得をはかったとしか思えないし、7月15日には平和憲法改正の前段階である「安保法案」を強行可決（注2）したのである。

（注1）NHKは常に国会中継を行っているのに7月15日午前の衆院特別委員会での安保法案審議を放映しなかった。また、全国版の新聞の中には（上層部の意向に逆らえなかったのか）この強行可決を「良し」と報道したところもある。
さらに、安倍政権は2018年3月に「政治的公平を求める放送法」を撤廃する方針を明らかにしている。
これらについては川端和治著『放送の自由』岩波書店（2019）参照

（注2）安倍首相は戦前・戦中をとおして反戦を主張した祖父安倍寛氏の考えに反し、旧安保条約を締結した母方の祖父岸信介氏に続いて、この安保法案を可決したことになる。

この強行可決を非難する国民は多く、「安全保障関連法に反対する学者の会」の賛同者も7月20日には1万1279人となり、連日国会議事堂周辺や各地方都市で集会・デモ行進などが行われたが、8月30日には全国200カ所でも実施された。

そして、元内閣法制局長官や元最高裁長官も「違憲である」と批判し、野党も抗議したけれど、与党はさらに集団的自衛権の行使を可能にする安全保障関連法案を9月19日に強行可決させたのである。

これを受けて中谷元防衛大臣は国連平和維持活動のためにと称して2016年4月南スーダンへ自衛隊を派遣し、政府は11月に南スーダンの自衛隊に対して安保関連法に基づく「駆け付け警護」と「宿営地の共同防衛」の新任務付与を決め、他国軍とともに**武器を使用する事**にしてしまった。

そのうえに安倍政権は武器輸出三原則を撤廃して防衛省に外局「防衛装備庁」を新設し、財源の3分の1を新たな借金（新規模国債発行）で賄わねばならぬ厳しい2017年度予算案の中で、防衛費を5兆1251億円と5年連続して増加させ過去の最大額にしている。

そのような日本とアメリカの合同演習に呼応するように、中国が空母艦隊を西太平洋に向かわせたが、アメリカの原子力空母も北朝鮮のミサイル挑発を阻止しようと2017年4月から日本海に入り、北朝鮮が5月14日・21日の連続ミサイル発射などに対して3隻目の原子力空母打撃群を西太平洋へ出動させようとしている。

米韓合同の軍事訓練を強化して行うのに対して北朝鮮が次々とミサイルを発射し水爆実験まで始めたので、国連にこれらの行為への制裁決議を提出したけれど、ロシア・中国などの反対で効果のない状態で終わっている。

2017年には**核兵器禁止条約**(注)が国連加盟国の６割を超す122カ国の賛成で採択されたけれど、安倍首相はこれにも**反対している**のである。

被爆した日から74年となる2019年８月６日に「原爆の日」を迎えた広島で、初めは平和を守ろうなどと口にしていた安倍首相が「核兵器禁止条約には署名・批准しない」と従来からの考えを示したから、広島市長や被爆者団体などからは**不満の声**が相次いでいると報道されているが、それは広島・長崎両市の市民だけでなく世界中の「平和を求める人々の**不満**」でもあろう。

(注) この条約に署名・批准した122カ国には、核保有（米ロで９割）国と唯一の被爆国日本が入っていないのである。

また、2016年11月には、党総裁の任期を現行の「連続２期６年まで」から「連続３期９年まで」に延長する党規則改正案を了承させたのは**独善政権体制**(注)を固めようとしていることなのである。

そして、多数の国民の生命をも脅かす改憲（戦争への道）へ突き進もうとしていることには与党内にも異論が出始めているけれど、2019年９月第４次安倍再改造内閣が発足してから首相は「改憲を必ず成し遂げる」と意欲を示している。

(注) 2018年３月には中国の全国人民代表大会で「連続２期

まで」の国家主席の任期を削除し、**独裁政権体制**の長期復活を目指し始めた。また、ロシアのプーチンは**終身大統領制度**や３選禁止の憲法改正も考えているようであるが、米国の大統領などは現在でも２期しか続けられない事になっている。

さらに、安倍首相は「日本の平和」を唱えていながら原発再稼動や武器の輸出入などを続けさせている。

これらは戦争を引き起こして一般国民を苦しめることが明白であるにもかかわらず電力会社や大企業が利益を得られるから止めさせないのであろう。

そして、森友・加計学園やその他の疑惑が釈明されないまま、2019年11月には首相が主催する「桜を見る会」にも疑惑を持たれるようになり、「首相を辞めても説明責任はなくならない」といわれながら2020年８月に「体調を崩した」と辞意を表明したが、その後も改憲したいと主張し続けており2022年７月参院選の応援演説中に暗殺された。

この時は「民主政治の破壊か」と社会が騒然となったが、その場で逮捕された犯人は宗教団体に母親が騙され倒産し進学できなかった事を恨み、「教団トップを殺害したかった」けれどコロナウイルス感染が拡大し韓国の教団総裁の来日のめどが立たないので、その友好宗教団体に賛同メッセージを寄せた安倍氏を狙ったと自供している。

従って、拙速に安倍元首相の「国葬」を決めた岸田首相は世論調査で６割の反対を受けたし、G7の大統領・首相級の葬儀出席者は１人もいなかったのである。

⑵ ロシアの現状

下斗米伸夫著『ロシアの歴史を知るための50章』明石書店（2016）には「プーチンとメドヴェージェフが首相と大統領の地位を交換し合うことにしており、両者のポスト交換は［権力の私物化］と批判される」と記されているが、この国では毎年数兆円とも言われている収賄政治が行われているようでもあり、国外にはそのことを隠し続けているらしいのである。

しかし、2015年サハリン州アレクサンドル・ホロシャビン知事は、建設会社から560万ドル（約６億7000万円）を受け取った容疑で、2016年にはウリュカエフ経済発展相が収賄容疑で逮捕された。そして、2017年にメドヴェージェフ首相も知人の財閥が寄贈した別荘やヨット、ぶどう畑などを私物化している事を暴露されている。

そのほか、上級官僚たちの高級住宅が建ち並ぶ場所のあることも一般に知られており、「権力者たちが贅沢な暮らしをして庶民は苦しみ」その格差が酷いとも秘かに語られている。

また、和田春樹著『歴史としての社会主義』岩波書店（1992）に「強力な新総力戦時体制を構築することと社会主義建設の完了とは同義……」と記されていることを実践するかのように現在もロシアはウクライナに侵攻している。

そして、ロシア国内では依然として言論弾圧があり、これに対する人民の反発も広がっているようであるが、2019年６月にはモスクワ市幹部の汚職などを追及してきた記者が警察の捏造したとみられる事件で逮捕されたので、コメルサント、ベドモスチ、RBKの大手３紙は真相解明を求める異例の共同声明を掲載し市内では無許可の抗議デモも行われた。

なお、５月にはコメルサント紙で、政権寄りのオーナーとの対立から、政治部記者全員が辞職する事態も起きている。
年々規制を強化する権力側とメディアの攻防は続いているけれど、プーチン政権は世論調査にも圧力をかけ５月26日には30.5％であった大統領の信頼度を31日には72.3％と発表させているし、2022年には人民の声を抑えてウクライナに侵攻したが、これらは自由がないだけでなく平等もない政治をしていることを示すものであり軍事国家の真骨頂でもあろう。

⑶ オーストラリアの報道規制

2019年６月にオーストラリアではABC（放送局）や新聞記者の自宅などが警察の捜索を受けた事(注)について、ジャーナリスト自由連盟のピーター・グレスト氏は「次第に治安当局・国家権力が力をつけ独裁政権へ変わる恐れがある」と懸念し「今回のような事態はオーストラリアに限らず今世界中で起きており、安全保障を理由にしたり関連の法律を強化したりしている。取材過程や国益のため情報を提供する人を守り報道機関の権利を保障する必要がある」と語っている。

（注）2019年6月9日に日本のNHKテレビ番組でも放送された。

⑷ 中国の現状

中国では2014年に汚職官僚5万5101人が摘発され、その中には共産党の最高幹部だった周永康や、軍のトップ徐才厚と閣僚級以上の高級幹部が28人もいたといわれている。

また、2015年に立件された汚職官僚は5万4249人で、閣僚・省長級以上の摘発も41人と伝えられている。彼らの全てが金にまみれていたとは信じられない数字であるが、中傷の多い国柄なので足の引き合いなども絡んでいたろうし、この国では政府指導のもとに影の銀行ともいわれる信託銀行が理財商品(注)を取り扱っており、その商品で負ったリスクを取り戻そうとし不正を働いた官僚も少なくはないとも推察される。

（注）個人向け高利回りの「理財商品」は、2013年に前年末比で46％増の10兆9100億元（約185兆円）で名目国内総生産の約2割に達したが、債務不履行への懸念から伸びは鈍りだしたとも言われている。

共産党政権が民主化運動を武力弾圧した1989年の天安門事件から、30年後の今でも当時の弾圧を正当化し続けているのが中国という国であるが、2017年7月にも広東省の化学工場関係労働者約30人を警察が拘束し、８月には労働者を支援していた女性活動家・沈夢雨さんが何者かに連れ去られている。

沈さんの呼びかけに応じて駆け付けた全国の学生ら50人も警察に拘束され、2019年には北京大学の学生５人が失踪したが直前から私服警察らしい複数の者につけ回されていたという。

香港の労働団体「中国労工通訊」の調査では、中国での労働争議は2015〜2017年の３年間に建設業や製造業を中心とし約6700件発生しているという。

そして、政府の圧政に反発するチベット地域では、最近の10年間で150人以上の者が抗議のため焼身自殺を図ったと伝えられている。

また、中国の国防費は冷戦終結時の約50倍と米国に次ぐ規模に膨らみ、ベトナムなど周辺国との軋轢が絶えないとも報道されている。

米国と貿易戦争で制裁関税の応酬を続けながら、宇宙関連技術や高速大容量の第５世代移動通信システム（5G）開発等のハイテク分野での覇権を争うなど、米中の対立は「新冷戦」とも呼ばれている。

⑸ 北朝鮮の現状

金正恩労働委員長は、2017年２月に異母兄である金正男を暗殺したようである。

その他にも、北朝鮮では2013年２月金正男氏の叔父の張成沢国防副委員長を突然「国家転覆陰謀行為」があったと処刑した。2015年には玄永哲国防相を「自分の権威を毀損」したとし、崔英健副首相をも「自分の政策に不満を示した」として処刑したが、2016年に「座る姿勢が悪い」などと金勇進副首相も処刑してしまった。

韓国政府の推計によれば、金正恩体制で処刑された幹部は2012年に３人、2013年には約30人、2014年に約40人、そして2015年には約60人とされており、恐怖政治の様相が強まってきて暗黒時代のソ連を連想させるものがあるという。

また、北朝鮮は多数の人民が飢えているにもかかわらず、国費の割合にしては巨額の資金をミサイル発射や水爆実験等に費やしていることは周知の事実である。

このような暴挙に対し、日・米・韓は合同軍事演習をしたり国連に制裁決議を提出したりしている。

しかし、ロシア・中国などがそれに反対しているからでもあろう、依然として2019年にもミサイル発射などを繰り返し行っている北朝鮮は2020年３月には２日、９日、21日の３回にわたり飛翔体を発射した。

さらに、2021年10月には従来の弾道ミサイルと異なる誘導（巡航）ミサイルを実験発射したが、その対応は非常に困難なものと見られている。

⑹ イギリスの現状

欧州連合（EU）離脱を巡って混迷しているイギリス政府は、2018年３月に元ロシア情報機関員らの事件からロシア外交官23名を国外追放した。これに対抗してロシアは英外交官23名を国外追放処分にすると発表した。

その後に欧米の17カ国でも200名以上ものロシア外交官を追放するに至っており、ロシア外務省は「断固たる抗議」を表明している。

そして、2020年１月31日には欧州連合が発足してから初めてイギリスが連合を離脱した。それはEUという後ろ盾を失うことで、イギリスの国際的な影響力の低下が懸念される反面、EUにとってはドイツに次いで２番目の経済規模があり軍事力も大きい国が抜けることになりその波紋は大きなものがあろう。

⑺ アメリカの現状

アメリカでは政党政治とは言うものの殆ど二大政党しか与党にはなれないようであるが、民主党は完全に資本主義系であり共和党も保守的な資本主義政党で、どちらも富裕層・大企業の意向に従う政治をしている。

そして、富豪が金庫番を務めていたので巨大資金を使い勝利したオバマ元大統領は、民意を尊重し国民皆保険を実施しようとしたけれど直ぐに廃案同然にさせられてしまった。

増田悦佐著『日本と世界を直撃するマネー大動乱』(前出)には、「大企業と金融機関にしてみれば連邦議会や大統領選でさえ自分たちの強欲をかなえるため、しっかりと巨額資金で縛りをかけ手足のごとく動かし」「歴代の(米)大統領は富裕層の税金を上げると、富裕層から献金が入り増税案は見送られてきた」と記されている。

そして、常に米大統領選を混乱させる原因の一つは「富豪たちが潤す政治資金」で候補者を後押しするのが無制限に献金を集めて特定の政党や候補者を支援する特別政治活動委員会(スーパーPAC)であり、富豪らの巨額献金の受け皿であるとも指摘されているという。

また、2016年11月に行われた米大統領選で、クリントン氏の行かなかった貧困層の多い地方を訪れたおかげで勝利したとも言われるトランプ氏が2017年1月に就任すると、オバマ大統領の推進した医療保険制度に猛反対したトム・プライス氏を厚生長官に、財務長官には金融大手ゴールドマン・サックスの元幹部であったスティーブン・ムニューチン氏を、国家経済会議委員長にはゴールドマン・サックス社長を、国務長官に石油大手のエクソンモービル会長ティラーソン氏、そして商務長官には著名な投資家ウィルバー・ロス氏を指名した。

加えて、海兵隊退役大将ジョン・ケリーは国土安全保障長官に、元中央軍司令官のジェームズ・マティスを国防長官とし、元陸軍退役中将マイケル・フリンを大統領補佐官に起用したけれど、２月にはフリンの代わりに元陸軍中将キース・ケロッグを大統領補佐官代行に充てている。

これらは富裕層にとって有利な政治をしているうえに、軍国主義的な国家にしようとしているようでもある。

そのアメリカでは2001年９月11日の同時多発テロから始まったイラクとアフガニスタンの戦争などで、18年後には米軍戦死者の累計が約6700名となった。

しかし、帰還した元兵士たちの中には最近１年間だけで7000名以上もの自殺者が出ているといわれ、平均すると今でも毎日20名の命が失われている計算になるのである。

このことは、北海道新聞に「戦場では、目の前で仲間が血を噴き爆弾で手足を吹き飛ばされ死んでいったし、イラク人の子供の遺体がいくつも転がっていた。今迄ともに戦った者の肉片や血のついた車両を洗わねばならぬ戦場での体験と極度の緊張感、そして悔恨（中略）心身の異変が日を追うごとに表面化していき突然錯乱し大声を上げるようになる（中略）そのような元兵士たちが自殺を図っているのであるが、米政府の自殺対策などでは効果が上がらない」とも報道されている。

従って、アメリカでも反戦意識をもつ国民がかなり多いと思われるけれど、上記のようにトランプ大統領が軍国主義的な国家にする政策をとっているのはこの国も決して**民主主義的では**

ないことを如実に示すものであろう。

また、2018年９月にはロシアが東西冷戦期以降では最大規模の軍事演習(注)を行い、そこに中国軍も初めて参加し「米国を強くけん制する構え」ともいわれている。

そして、2019年２月に米朝首脳再会談がベトナム・ハノイで行われ非核化交渉は事実上は決裂したが、対立を招くような言葉は控えられ３回目の会談を約束するにとどめられているようである。

（注）参加人員は約30万人、航空機1000機以上、戦車・装甲車など３万6000台で太平洋艦隊の艦船も投入された。

なお、世界中の人々が核廃絶に向けた機運を高めているのに逆行して、「トランプ大統領は2018年２月に相手の攻撃に核兵器で反撃する可能性に言及し、小型核の開発をも（書面に？）明記した」と新聞に報道されている。

さらに、2019年２月にはロシアの条約違反を理由に、中距離核戦力（INF）廃棄条約の破棄に踏み切った。

同年８月には史上初の核兵器削減条約が失効することになるので、５月３日米中ロ３カ国による新たな核軍縮条約について協議。INF 廃棄条約の失効を見据え中国を交えた「包括的な合意」を目指すと表明し、米ロ両首脳は北朝鮮の非核化に向けた協力を確認しているのである。

そして、トランプ元大統領は制度維持の必要性を訴えたのに対して、プーチン氏が段階的な制裁緩和を主張し、立場の違いが改めて鮮明になった。翌４日、北朝鮮が日本海に向け飛翔体（発射体）を数発発射したことは、弾道ミサイル以外の軍事挑発によりアメリカ側を牽制しているように見える。

７月４日には中国の弾道ミサイル発射実験を南シナ海で実施し、洋上に着弾したことを明らかにした。発射は南シナ海や台湾海峡に艦船を航行させている米国を牽制する狙いがあると見られている。

８月３日にエスパー米国防長官は記者団に対し、アジア太平洋地域に地上発射型中距離ミサイルを配備したいとの考えを示し、2020年２月には米国防総省が小型核を搭載した潜水艦発射弾道ミサイルを実戦配備したと発表した。

これによって、米中ロ間の軍拡競争が一層激化していく恐れがあるであろう。

経済政策においては、2019年５月10日、トランプ政権が中国からの輸入品2000億ドル（約22兆円）に対する追加関税を10％から25％に引き上げたことへの報復処置として、中国政府は13日米国からの輸入品600億ドル（約６兆5000億円）分に課している５～10％の追加関税率を最大25％に引き上げると発表した。

その一方では、「米国は今や最強だ」と強調するトランプ大統領は6月4日に開催された米国独立記念日の祝賀行事が党派を超えて建国の理念をたたえる日であるのに、異例の大統領演説をしただけでなく戦闘機や戦車も動員する軍事色の強い行事としたことで、トランプ氏による「独立記念日の政治利用」と批判されている。

そのうえ、9月1日には中国への制裁措置「第4弾」の一部として、中国からの輸入品1120億ドル分に追加関税15%を課した。中国も米国からの輸入品約750億ドル分に最大10%の追加関税を課す報復措置の一部を実施し、世界経済の減速が懸念される中で、米中の「貿易冷戦」も長期化と激化の一途をたどる様相なのである。

⑻ 核保有国の現状

米公文書によるとベトナム戦争時にアジア太平洋地区へ核搬入が行われ、沖縄へも大量の核が配備されていたという。

そして、2019年2月に130〜140発の核保有国であるインドの支配地域で治安部隊を乗せたバスを狙った自爆テロがあり、インドは140〜150発保有するパキスタン過激派の訓練施設を空爆した。その後に双方の戦闘機が空中戦となってそれぞれが撃墜され両国の緊張が高まり、8月にはパキスタン政府が対インド貿易を停止すると発表し駐インド大使の召喚も決めている。

また、イラン原子力庁の報道官は、2019年７月「核合意で定められた上限の3.67％を超える引き上げに７日から着手した」と発表し、ウラン濃縮度について20％への拡大も「選択肢の一つ」と述べた。

そして８日時点で既に上限を突破する4.6％に達したことも明らかにしたが、米国による強力な制裁の影響を回避するため、欧州との核合意で決められた濃縮用の遠心分離機の数を増やし「より高い濃縮レベル(注)もあり得る」と警告している。

(注) 核分裂を起こしやすくするため濃度を20％以上にしたウランは一般的に「高濃縮ウラン」と呼ばれ、イランは核合意以前に医療目的で20％の高濃縮ウランも保有していた。
しかし、20％程度に高めれば核爆弾に使う90％以上へ引き上げるのは比較的容易とされており、イランの核武装を警戒する米欧などの反発は必至とみられる。

なお、米ロ間の中距離核戦力（INF）廃棄条約が2019年８月２日に失効し、米ロに中国を加えた大国間の軍拡競争(注)の激化は避けられない情勢のようであり、８月８日にはロシア北部の海軍実験場で爆発が起きて周辺の放射線量が上昇し、この事故でロシア国営原子力企業ロスアトムは、11日までに同社職員５人が死亡したことを明らかにした。

米国の核問題専門家ジェフリー・ルイス氏は、衛星写真の分析からこの爆発事故当時、近くの海域に放射性物質を運搬する特殊船舶が存在していたことを指摘。発射装置の形態などから、ロシア軍が超長射程の原子力推進式巡航ミサイル「ブレヴェスニク」の実験を行っていたとの見方を示した。

ブレヴェスニクは米国のミサイル防衛網を突破する目的でロシアが開発、配備を急ぐ新型兵器の一つともされている。

（注）2020年には米国が1800発、ロシアが1625発と核弾頭数を減少させたが、北朝鮮は10〜20発から35発に、中国は280発から320発と増加させており2035年には1500発にするであろうと米国防総省は後の年次報告書に発表。また、上記の他に英国が195発、フランスには290発、イスラエルは90発保有しており、いずれの国も核兵器禁止条約には冷淡で核廃絶に希望は持てないようである。

そして、2020年に新型コロナが中国で発生した時、中国は当初「米軍が持ち込んだ」と責任をなすりつけようとした。

これに対して、米国は「香港国家安全維持法」に異義を唱えたが、南シナ海の領有権を巡って中国は中距離弾道ミサイル4発を発射しており、ウイグル族弾圧の問題などもあって両国は常にもめている。

2021年に入って米、仏、オーストラリア各国軍と日本の自衛隊による離島防衛力の向上共同訓練が行われたし、最近英国の空母打撃群がインド太平洋地域へ向けて出航したのは中国をけん制する狙いとも見られている。

また、ミャンマー国軍は軍政の既成事実化を急ぎ市民との武力衝突も各地で発生しているし、米韓両政府が韓国のミサイル開発の制限指針を撤廃したことに対して北朝鮮は米国の「敵視政策」と非難している。

しかし世界の大多数の人々は紛争・戦乱を好まないのであり、真に民主主義的な国に戦争は起こりにくいが、友愛のない独善・独裁の政治体制の国では直ぐに紛争・戦争状態になるようなのである。

また、2022年ロシアがウクライナに侵攻したとき人民たちにも多くの反対の声があり「ロシア人はみんなが戦争を好むと思わないで下さい」などというメールが世界中に送られたりもしており、国連軍縮会議ロシア代表部参事官ボリス・ボンダレフ氏も「プーチンが引き起こした侵略戦争は……犯罪である」などと抗議し辞任したが、それらを無視してプーチン大統領は強引に戦争を続行している。

そして、ウクライナの反撃が強く戦局が思うようにならないので、核兵器などの使用をちらつかせてもいる。

これに対して米国は臨界前核実験を重ね核戦力の近代化を推進しており、米中の対立が深まるなかで北朝鮮は局地戦での使用を想定した核爆弾や短距離ミサイルの「新型兵器」を発射したりしている。

以上のような各国の実態なので、もしも核戦争にでもなれば地球上の各地を広範囲に壊滅させてしまうだけでなく、さらに汚染は地球全体を覆い人類および全生物の生存も危ぶまれることになるであろう。

第３章　各国の動静

国が崩壊したアイスランド

2012年に出版されたアウスゲイル・ジョウンソン著『アイスランドからの警鐘 ― 国家破綻の現実 ―』新泉社はアイスランド最大の銀行主任エコノミストの著者が、自分の国の破綻に至るまでの現状と衝撃の日々をつぶさに語った。
「わずか数年のうちにヨーロッパの片隅にあったチッポケな島国が地球上の他のどこの国にも対抗できる金融帝国を築き上げたのであるが、2008年10月のたった１週間のうちに国家全体が崩壊してしまった。だが、それは氷山の一角にすぎない（金融）危機の影響は（今でも）地球中をめぐり続けている」と記しているのである。

〈虚の富〉に群がることを許している資本主義社会のグローバルな金融経済が、アイスランドを短期間でかくも強力なものにしたけれど、かくもあっけなく破滅させたのであるから、どこの国でも〈虚の富〉により倒壊する可能性があることをよく考慮すべきであろう。

財閥に反発する韓国民

韓国では財閥が経済成長を独占して、所得格差が激しくなり庶民の反発が強まっている。

2015年にはソウルの大手企業ビル前で泊まり込みのデモが起こり、2016年に非正規職員が作業中に死亡した事故が起こって「現場では安全基準が守られず酷使され、天下り職員には多額の給与が支払われている」として国民の怒りが渦巻き、その後も類似の事件が続発している。

資本主義の欠陥をつくアメリカ人

金融関連企業などへ富が集中する一方で、大勢の失業者がいることに気がついたアメリカ（注）の国民は、2011年富取引の本拠地ウォール街を占拠し世界中に発信。これを受けた英国の若者たちも政府に反抗したりした。

（注）先進国で最も経済格差のある国は米英両国と言われる。

そのアメリカでは学生ローンで10万ドル（約1140万円）の借金を抱える者が200万人おり完全失業者も3000万人以上はいるので、所得格差の広がっていく資本主義社会に不満を持つ人が多くいるようである。

そこで、民主社会主義を唱えるアレクサンドリア・オカシオコルテスが、2018年６月の党予備選に民主党の現職重鎮を破り、「急進左派」の候補者の応援に全国を駆け回り、９月にはニューヨーク州の大学で社会主義を説いて学生たちの熱狂的な賛同を得ている。

社会主義団体の地域別勉強会でも参加者たちが「資本主義には限界がある」「民主党は働く人々のために闘ってこなかった」

と言い、世論調査会社のギャラップは「18歳から29歳までの51%が社会主義を肯定的に見ている」と発表している。

しかし、社会主義の政治体制・経済制度は共産主義と同一であり称し方が違うだけなのである。従って「肯定的に見ている」と言っても自由を好むアメリカ人がいきなり独裁の共産主義に飛び込めないのが現実であった。

そして、今まではどちらへも行けないままで「資本主義の欠陥」に気がついた若者たちの意向なども自然消滅せざるを得なかったけれど、これからは友愛主義の政治体制・経済制度に関心をもつことにより救われるであろう。

プーチン政権と批判するロシア人

最近のロシアでは過去にしてきた政治家や活動家への弾圧の代わりに、政治的背景のあまりない若者が標的になっているように思われる。

2018年3月「過激派組織への参加」容疑でアンナ・パブリコワさん（18歳）のほか9人が、5月には「過激派組織への勧誘」などの疑いでモスクワの若者たちが逮捕された。

若者の親たちは10月28日に「連邦保安局」ビルの周辺に結集して「無実」を訴え、支援の輪も広がったと伝えられている。

2019年8月10日にはモスクワで市議選への出馬を不正に阻

まれたとする野党系候補らが呼びかけた大規模な抗議集会が開かれ、非政府組織（NGO）の集計によると、約４万9000人が参加し公正な選挙の実施を求めた。

これらの抗議行動は５週連続となり、市当局だけではなくプーチン政権に対する批判の色合いを強めた。

さらにモスクワ市議選をめぐり７月20日にも２万人規模の抗議集会が開かれたけれど、治安当局は27日に1300人を、８月３日には約1000人を逮捕したという。

そして、2022年プーチン大統領は反対する国民を抑えつけ国外から雇い兵を募ってまでウクライナを侵攻し多くの民間人・子供たちを殺害しているが、それでも足りず「部分動員令」を出したので国内は混乱し、９月に予備役の部分的な動員発令以降は近隣諸国へ脱出する国民が相次いだ。

祖国を離れたロシア人たちは強硬な愛国主義で侵攻を正当化し続けるプーチン政権への失望感を深めているが、さらにプーチン政権は殺人などの重大犯罪で前科のある人の動員を可能にする改正法を11月に成立させ、「反戦を唱えた者が罰せられ犯罪歴のある人間が英雄扱いされる社会になった」と嘆かれている。

デモが暴徒と化したフランス

マクロン政権に抗議するデモが、2018年末から翌年３月24日で19週連続となり、18週目にはそのなかの一部過激派が暴徒化。ブランド店は「資本主義の象徴である」としてパリのシャンゼリゼ大通りに並ぶ約80店舗を破壊し、このうちの約20店舗には略奪や放火があり、230人以上が警察に拘束されているという。

首脳会議の開催を断念したチリ

チリは中南米で政治・経済が最も安定した国の一つといわれていたが、現在は富が1割程度の富裕層に集中しその他の層は低賃金や生活費高騰などに苦しんでいる。

2019年10月には首都の地下鉄料金の値上げをきっかけにデモが始まり、政府は値上げを撤回したが騒ぎは収まらず同月23日までに略奪や放火に絡み18人が死亡し数千人が逮捕されたと報じられた。

そして社会格差への不満から反政府デモが続くため、首都サンティアゴで11月中旬に予定されていたアジア太平洋経済協力会議（APEC）首脳会議の開催を断念するとピニェラ大統領が発表するに至ったのである。

貧富格差と言論統制にあえぐ中国

中国は所得格差の水準がアジアで最も高いと言われており、働いても働いても住居さえ持てないほど貧しい人たちや出稼ぎ先から帰郷する旅費さえない者も大勢いるようで、年間に多数の暴動が起こり下級官僚はそれらの対応に狂奔させられているため一般行政の執務時間もないほどとも伝えられている。

2019年６月９日にNHKのBS1で放映された『巨龍 ── 中国の“素顔”を探して』前編には、習近平主席が「貧乏をなくして暮らせる社会を目指そう」とスローガンを掲げているが、現実は「農業では食えないので北京に出てきて何とか働こう」としている人々の住居が政府の命令で再三取り壊され、その都度移転を余儀なくされるので、「食えない」と分かっているが故郷に戻らざるを得ないと語る地方農民の姿が映されていた。

農村では隣の村より自分たちの暮らしぶりが良くなったという村もあるが、収入は北京で働く新卒労働者の10分の１に満たないとも言われている。

そして、2020年大学を卒業する学生は約850万人であるが、新型コロナのためもあり「卒業即失業」になりかねない状況であるという。

また、香港自治をめぐり、2019年６月から再三起こされた市民のデモを弾圧する中国政府の措置には、同国の法曹界も反発している。

６月16日には、労働者や学生らによって「逃亡犯条例」改正案の撤回と中国本土からきている林鄭月娥行政長官の辞任を求める103万人のデモが行われた。

同月９日には約200万人もがデモに参加したという。これは1997年の中国への返還以降では香港最大のものであり、これらの大規模デモにより中国政府や香港長官に対する市民の不信感の大きさが鮮明にされたといっても良いであろう。

しかし、その後もデモは繰り返され2020年まで続いていたけれど、新型コロナウイルス感染症の蔓延によりこれらのデモや市民の反抗が下火になった。

そこへ2020年6月に中国の全人代が香港の統制強化を目的とした「香港国家安全維持法」を成立させ、施行翌日の7月1日には「香港独立」と書いた旗をカバンに入れていただけの男性らも逮捕され、その後多数の市民も違法集会の疑いなどで逮捕されるようになってしまった。

前日までは当然のように行われてきた抗議活動も一夜にして重い犯罪行為にさせられてしまうようになり、言論統制が加速したので香港離脱や活動停止表明をする者もおり、9月の立法会（議会）選挙の予備選挙をめぐり民主派陣営と香港・中国両政府の攻防は一層激しさを増した。

また「民意」を封じ不満軽減への時間稼ぎのために、香港政府林鄭行政長官は7月31日の記者会見で立法会選挙を1年延期すると発表し、その後も厳しい圧力を加え続けている。

そして、2021年には中国共産党や政府への批判的な香港紙『リンゴ日報』と、その関連3社の資産が凍結され国家安全維持法違反でリンゴ日報の幹部が逮捕された。

「報道の自由を守りたい」とする市民が新聞スタンドに行列し、同紙も50万部増刷したものの、事実上の廃刊に追い込まれたそうである。

日本の新聞には、香港民主派議員が「今の香港はまるで独裁政権下にある（中略）議員は保身のため中国政府の指示に従うだけ」と語っていることも報道された。

しかし、英国に亡命した民主化運動リーダー羅冠聡氏はロビー活動で今後も訴え続けるようである。

以上から、今の世界には「幸せになれない人々」が大勢いることが明らかである。

それは、欠陥の多い資本・共産両主義に代わるべき理論を主張できなかったからでもあろう。

従って、各国の国民（人民）の真剣な言動も単なる「反抗のための反抗」と見られるようになり、警察の取り締まりが当然とされる世の中になってしまった。

つまり平等（共産）主義の社会では〈党の独裁〉に抑えつけられ、自由（資本）主義の社会では〈与党首相の独善〉に従わされ〈国民の声〉が排除されているのであろう。

今までの資本・共産両主義に**代わるべき新しい理論**として友愛主義の社会を考えるときが来たのである。

第４章　友愛主義

第１節　友愛と博愛

通常の辞書には友愛が「友人・兄弟にたいする愛情」と記されており、博愛は「全ての人々を同じに愛する事」となっているけれど、社会思想事典などによれば友愛は上記のほかに「宗教的な兄弟またはエリートたちの結合という愛情」との意味もあると記されている。

従って筆者が提起する「貧困と戦禍に苦しめられている現代社会を改善するための友愛」の場合には、「宗教やエリートたち」と限定しないで「生きていこうとする人々の結合という愛情」と考えてもよいであろう。

そして〈博愛〉の実践は「善意ある人が一方的に金品などを与えたり」、特定地域または一部の人々のために「人道的に医療を施したり井戸を掘る等のボランティア活動」をすることなので、その与えるものや行為には限界があり一定地域内の人たちを幸せにしているだけである。

〈友愛〉の実践については辞典などに「概念としてはゆらいだまま」と記されているが、筆者は「不幸な人たちが多くいる世界を改善」して「人々が平和に暮らせる社会にしようとする活動」が友愛の実践であると考えるから、世界中の大多数の人々が自由・平等に生きていけるようになるまでは続けねばならないと思料する。

第2節　友愛の理論と実践

〈友愛〉に関する文献・著書はプラトン、アリストテレスの頃から多数でているが、そのほとんどがアミティエ（哲学的）な理念につき記述されており、フラテルニテ（社会的）な視点から論じられるようになったのは近年になってからで、下記のとおり意外に少ないのである。

1938年に出版されたクーデンホーフ・カレルギーの原書名『人間対全体主義的国家』(注) は、「自由のための改革が立往生し平等の革命が失敗した後を受けて、友愛主義の革命は今や国民と国民との間、階級と階級の間に橋梁を架し、もって彼らの全部に対して自由なる人間が四海同胞たる事の福音を伝えるであろう」と記し、混乱している現実社会を友愛主義で革新しようと説いている。

(注) 同書日本語版は鳩山一郎訳『自由と人生』鹿島出版会 (1953)

友愛を初めて社会的な視点からとらえようとしたカレルギーの卓越した論理には敬意を表すべきであるが、残念ながらこの書には自由社会における〈資本主義〉や平等社会における〈共産主義〉のような実践するための体制・制度はおろか、綱領さえ記されていなかったので、それ以降の政治家たちの中に「友愛を」とか「友愛社会に」と唱える人もいたけれど実践することはできなかったのである。

1985年には大谷強著『新・友愛宣言』第一書林、1995年に小林弥六著『友愛主義宣言』たま出版が刊行された。

前者は労働運動や組合の福祉などについて述べたものであるし、後者は終始マルクスの『共産党宣言』を意識しながら書かれているようであり、マルクスの10カ条の綱領に対応して「友愛経済の建設、徳義にもとづく友愛国家の建設、世界連邦の究極の目標とする友愛社会の実現」など11カ条を記している。

しかし、「友愛経済」とはどのような制度なのか「徳義にもとづく友愛国家」とはどのような政治体制の国なのか何も分からないのであり、現実に即したマルクスの綱領とは異なってこの書の綱領はユートピアのようである。

1999年にジャック・アタリが出版した原書名『FRATERNITES（友愛）』(注)の内容は、題名に反して博愛的なものであり、ユートピア的でもあった。

しかし2008年に出版された『21世紀の歴史』作品社は主にフランスにおける友愛社会の体制として愛他主義を説いており、2009年の『金融危機後の世界』作品社では愛他主義の立場から金融資本主義国の緊急プログラムとして、「銀行の自己資本の増強、投機的資産価値に基づく金融手法の禁止、金融関係者に対する過剰な報酬禁止、最低賃金の引き上げ、労組の再強化、産業部門を支援する、医療費は国家が負担する、技術者や研究者の社会的地位を向上させ、銀行職を慎ましやかで退屈な職種に格下げする」など、友愛（愛他）主義の国として実践すべき事項を記している。

（注）同書日本版は近藤健彦・瀬藤澄彦共訳『反グローバリズム』彩流社（2001）

同じ2008年に筆者の『現代社会の条件 ― 格差社会と互立主義 ―』を北海道新聞社出版局から刊行。この書は主として2008年頃までの世界の動向と出版されている著書や資料などをもとに、「己だけが成り立てばよし」としているから貧困者が多くなった現代の資本・共産両主義の国々の欠陥を記し、これからは「お互いになり立ってゆく」ような友愛（互立）主義の国にしていくべきこととその政治体制・経済制度などの概略を述べたものである。

2010年には小林正弥著『友愛革命は可能か』平凡社が出版され「友愛の概念に関しては（現在の）評論家たちでさえ次元が低い」と記して、「鳩山家の友愛は精神的な理念（上流層）のもの」であり「賀川豊彦の友愛は宗教家として（下層者）を救済しようとしていた」ことを詳らかに述べている。

しかし、実際には双方とも友愛と言うより博愛的であったと言えるであろう。

そして、友愛公共政策として「財源に通貨取引税・航空券連帯税を課す」ことを提唱しているが、これも著者が説くような友愛税ではなく博愛税の程度であり、結論には「まず、この日本において友愛革命を本格的に実現することであり、それを地球全体へと広げていくことを目指すべき」と記しているけれど「革命の本格的実現」とはどのようにするのかが書かれてないし「地球全体へ広げること」も何を広げるのかは分からないのである。

2017年に出版された、『2030年ジャック・アタリの未来予測』プレジデント社には、前段階で欠陥の多い現在の資本・共産両主義に対する憤懣を述べ、後半には「世界のために行動を起こす」として**利他主義**の計画10カ条やフランスが自分たちの役割を担うために実行すべき10提案などを挙げていることからも、従来からの友愛主義を実践してゆこうとする姿勢は変わっていないようである。

さらに、2018年のジャック・アタリ著『新世界秩序』作品社には「今後これまでの世界秩序は崩壊して、世界からの強調性が失われ、大規模な経済・金融危機、地球規模の戦争などへ転落しそうな状況にあって新たな世界秩序を考察すべき」と述べ、新しく世界統治機関をつくり、「世界全体会議」サイトを立ち上げることを説いているが、最後に「新世界秩序について思いをめぐらせたのは自分の最もそばにいる隣人のことに思いを致さない言い訳にもアリバイにもなり得ない。むしろそれについて考えることを通じて、世界が隣人とともに隣人のために始まることを理解する良い機会となるだろう」と結んでいる。

2021年に筆者は現在の「貧困と戦禍」の世界を改善していくために電子書籍『世界の現状と互立主義』幻冬舎を出版して、現代の政治・経済の実態と**互立主義**の社会で実践すべき政治体制・経済制度につき述べた。

以上であるが、理念やユートピアでなく現実の社会を**友愛主義で改善（実践）すべき事**を述べているのは、ジャック・アタリ氏の〈利他主義〉(注1) と筆者の〈互立主義〉(注2) だけのようである。

（注1）ジャック・アタリ著『金融危機後の世界』作品社(2009)、『2030年ジャック・アタリの未来予測』プレジデント社（2017)、他参照

（注2）青沼爽壱著『現代社会の条件』北海道新聞社出版局(2008)、電子書籍『世界の現状と互立主義』幻冬舎(2021)、参照

なお、**利他主義**（altruism）は**愛他主義**とも翻訳されており、「自分よりも他人の幸福・利益を第一の目的とする」という考え方で社会学者オーギュスト・コント氏による造語であるが、アタリ氏は「自分のためだけでなく他者そして次代のために行動する」という意味でも用いているようである。

そして、**互立主義**は「世界の大多数の人がお互いになり立つような社会にしたい」と考える筆者の造語であり、似ているものに**互恵主義**が使われているけれど、これは「Ａ国がＢ国に大

使を送るならば、B国もA国に大使を送る」という考え方であり全く関連のないものである。

第５章　互立主義の政治体制

今まで**自由**（資本）**主義**の国は党首の**独善**により政治が行われ、**平等**（共産）**主義**の国では権力者の**独裁**で本当に民主主義的な政治をしている国がなかったので、国民（人民）たちは常に戦乱・内紛などに苦しめられてきたのである。

これからは**友愛**（利他・互立）**主義**の国にする事により真に**民主主義的**な政治体制とし世界の平和を守るべきであろう。

第１節　真の民主主義

政治体制としては民主主義が望ましいので、各国は資本・民主・共産・その他の党によって**政党政治**を行い現在は民主的社会であるかのように思わさせられている。

しかし、元衆議院議員井戸まさえ・佐藤優両氏対談（注）の中で「党（パーティー）は本来［部分（パート）の利益を代表する組織］なのであり、［全体の代表］ではないにもかかわらず、国会議員自身が［自分は国民を代表している］と幻想をもっている場合が多い。それで（中略）民主政治は、機能しない」と語っているように、現在各国で行われている政党政治は民意に反してでも**党の方針に従っている**のであり、決して民主主義的な政治を行っているのではない。

（注）井戸まさえ、佐藤優共著『小学校社会科の教科書で、政治の基礎知識をいっきに身につける』東洋経済新報社（2015）参照

そして現代の政党名には欺瞞が多く、国民はそれらにつられて投票している。

例えば、アメリカの民主党・共和党や日本の自由民主党などは決して「民主主義系」でなく「資本主義系」の政党であり、行政首長の独善で少数の富裕層・大企業などを有利にし大多数の国民のことを後回しにしているのに、堂々と「民主」と称えたり曖昧な名称を使って国民を騙し選挙に勝っているが、その結果として大勢の貧困者や戦禍に苦しむ人々を出しているのである。

また、自由主義の国では資本主義系の政党以外はなかなか与党になれないし、平等主義の国では共産党以外は与党になれないのである。このことや党内に派閥のできることなどだけでも現在の政党政治が絶対に民主主義的でないことは明白であろう。

今まではこのように非民主的な政党だけが与党となってきたので国民が不幸であったから政党名を正しく表示させるようにすれば民主党を選ぶ人が多くなって良いのであるが、政治体制としては良いこの党も経済制度が未知数であり、資本主義か共産主義に似た制度であれば国民にとって酷い社会になるであろ

う。

従って、民主主義系を選ぶよりは友愛主義系を選ぶほうがよいと思われる。

なお、群落時代は長老や少し秀でた者で治められたけれど現代は各国が大地域であるうえ高度で複雑な社会機構になっているので、国会議員は国政に優れた能力をもった者でなければならないのである。

しかし現実には能力のあるなしにかかわらず、議員になりたがる人や二世議員または名声のあるタレントなどをも立候補させ、金にものをいわせたり先代の地盤を利用したりしながら「国民のためであるかのような言動」をしては当選する議員も多く、民意にではなく党の方針に従い資金源になびいたり政策秘書や官僚の作成した意見を述べたりするだけで、「国民の大多数が成り立てる」ようにと本気で考える議員は少ないようなのである。

また、世界では80％以上の国が選挙権を18歳から与えているので、日本も2015年６月の改正公職選挙法で選挙年齢を18歳以上に引き下げた。

そして各党は若者の関心を得ようと試行錯誤しているが、他の国々では早くから若者の政治意識を高めるため模擬投票をさせたりして「政党の違い」などを学ばせている。

しかし自分が「民主主義者であると唱えている者」と、「真の民主主義者」との違いをしっかりと学ばせている国は皆無であったから、世界中の人々が幸せになれなかったのである。

互立主義の国では、若者だけでなく社会人たちにも政治への関心をもっと高めさせることに力をそそぐと共に「上記の違い」をよく認識させねばならない。

そして、現在までの資本・共産両主義の国々では国威を主張するだけで国民を戦禍から守ろうとはしないだけでなく国民の言論の自由をも制圧しつつある。そのため、今後は世界中の国々を友愛（利他・互立）主義の国にし真に民主主義的な政治を行い言論の自由を守るべきであろう。

さらに国民が真の民主主義者を選出できるよう、社会教育講習会や立会演説会・地方意見交換会等に積極的に参加させる必要があるし、特定な事柄につき専門家や学者の意見をきく従来の公聴会の他に、一般的な事柄につき選挙区ごとに定期的に実施する民主的な意見交換会などをもつように決め、しっかりと民意を政治へ反映させるべきであろう。

そのため、国会議員は選出された区域内の住民を何回かに分けて会合に出てもらうようにするなどが好ましい。

そしてこれらの会合・研修などが不十分であり、民主主義者を装った議員が多く選出されてしまったり民意をよく反映しない政治が行われるならば、従来からの社会と同じように国民たちの「人権は失われ」ていき多数の人々が「生きてゆけない社会」になるのである。

それでも目の前の「生活すること」に追われて、どうしても研修などを疎かにする人々が多い時には、よく研修し正しく選出できる一部少数の人たちだけにしか投票権を与えられなくなるかもしれない。

自分たち自身と子孫のためであるから、国民は真剣に研修し慎重に投票するべきなのである。

また、各分野での経験・学識があり新進気鋭の者を真の民主主義者になるようによく研鑽させて(注)から、国会に送り出すべきであろう。

(注) もちろん研鑽しなくても有能な者もいるであろうが、それは極めて少数であり研鑽することで一層優れた民主的な政治家となれるのであるから、後記する立法大学院などでの研修は必須である。

なお、国民のため真に民主主義的な政治をするよう改善するには三権分立が絶対に必要であり、決して他部門の人事に介入したり権力で圧力を加えたりしてはならない。

第２節　民主政治の確立

立法部門の国会議員は各分野のエキスパートたちで委員会をつくり、各部門の委員で各省の政務次官と大臣を選出する。その任期は長くなることでだらけたり国政に私情をはさんだりしてはならないから１期とすべきであり、国会議員の任期もできるだけ短くし、その短い期間内に精一杯の力を政治にかたむけるようにさせるべきである。

議員の任期は連続でなくても３期12年までとするのが妥当と思われる。今までは在任期間を限定しなかったので、議員は自分の任期を少しでも長くしたいと願うことにも時間を割きその分だけ政治意識が薄れるが、３期までしかできなければ短い期間中に全力を政治に傾けるようになることであろう。

そして、議員である間は個人的旅行をできるだけ止め歓楽街等への出入りも慎むようにし、公務旅行中も観光はせず趣味・スポーツ・酒量なども控え目にしなければならない。

とはいえ、歓迎国のお付き合いや家族の絆・信頼を失わない程度にするべきである。

なお、議員の政見は議員本人が考え述べるものであるから、政策秘書は不必要であり政策作成の資料等も議員自身が収集すべきであるが補助的なものに限って秘書にさせてよい。しかし公的秘書の人数は制限し私設秘書は不公平になり易いから廃止した方がよいであろう。

また、国会議員に支給される給与の額は一般市民の職種に準じるべきで、高額な報酬を得させてはならない。また、給与はあくまでも生活費として支給(注)されるものであり次期選挙の資金等に流用してはならない。

(注) 日本の場合ならば毎月100万円（最低生活費の５倍）くらいがよいであろう。

ただし、このようによく研鑽して議員となったのに、任期が短く報酬も多額とはいえないのであるから、３期を精一杯努力し議員を終えた者には老齢年金の出るまで最低限生活のできる程度の年金を支給することはよい。けれども本人が働くことを止めてもよい程の高額にするべきではないであろう。

そして、議員として給与を受けている間は、国会を開催していない時であっても、私用や次期選挙のためなどに日時を費やしてはならないし、地方意見交換会や（必要な）現地調査などがない日などには、週に40時間以上を国会図書館等へ出向いたりし、より一層よい国事のできるように研鑽したり政策を練るべきであり、国会議員である期間は他の業務と兼業してはならないのである。これらに従わない議員は罰するべきである。

なお、候補者の乱立を防ぐための供託金制度などは止めしっかりと研鑽を積み資格を得た者しか立候補できないようにすればよいであろう。

そのため立法大学院を設置し真の民主主義者を養成するべきであるが、この大学院は国・公立でなく政府の圧力などに屈服せず自由と中立を守りとおせる私立大学にのみ設置するべきであり、教職員および資格認定委員などにも国が関与できないよう留意すべきである。

立法大学院に入学できる資格は、大卒者で業務に５年以上関連したか高卒者で業務に10年以上また中卒者で業務に20年以上関連していた者などとするのが良いであろう。

そして、立法大学院で養成され有資格となった者に対しては、選挙のときの費用などを政府が平等に支給するべきで、後援会や個人・企業等の資金援助を一切受けさせず、選挙の際には政府が看板・ポスターを公平に作成し、一定の場所に貼付すべきである。

また、戸別訪問・選挙カーでの連呼および電話やスマホ・葉書・チラシなどでの依頼・握手をするなど単なる印象付けのためにすぎない行為や、公平に定められていない街頭演説等は許すべきでないし、候補者全員が平等に開催する演説会等を各地区ごとに綿密に行いどうしても出向けない有権者のために前もって日時を何度も公表しておいたテレビ演説会などを実施すべきであろう。

最後に立法部門は国民のためにあるので、如何なる場合でも国民の思想・言論の自由を侵すような法律をつくってはならないのである。

行政部門の首長は権力をもち易く最も三権分立を壊すことが多かったので、首相（大統領）は各省の大臣・政務次官全員が集まった席上で互選して選出するなどし、首長独善の政治体制をつくらないようにすべきである。

また、選出された大臣や首相の任期は１期のみとする方が良いと考えられるし、首相の所信声明は必要ない。

首相の任期が短期間であれば、「首相の主張する政策が十分に成し遂げられないのでは」と思われるであろうが、国にとって必要なのは「首相の主張する政策」ではなく「国民の大多数に必要な政策」なのである。

そして、それは国民が選んだ議員が定めるものであり、その立法化された「国民の要望」の実施に行政職員は専念しなければならず、首相はそのまとめ役であり代表者であるが、特権意識や人事権をもたせない方がよい。

特に司法部門への人事介入などは厳禁とすべきであり、それは国会議員も同じで行政部門・司法部門へ圧力などを加えさせてはならないのである。

また、これまでの国々が民意に添わなかったのは政党政治なので党の方針に従っていたばかりでなく、選挙に金がかかるような態勢であったことにも原因があったし、金を出す者はその見返りを望んでいたのであるから、カネにつながる政治を行えなくするため政治家への寄付や献金、または資金集めの催し等の全てを禁ずるべきであろう。

なお、今までの後援会は次期の候補者を決めたりしているが後援した議員の息子や血縁者などを選ぶケースが多いようであった。
政治家としての力量あるなしに見境なしで正しい選挙を妨げるから、後援してきた議員の任期終了と同時にその後援会も解散すべきであろう。

そして政府は、自衛隊（国防軍）を志願者のみで結成させねばならず、一般国民に兵役を課してはならないのである。
また自衛隊は国を守るものであり、いかなる名目をつけても国外に出兵させたり他国を侵攻したりすべきではない。

外国にいる国民や航行する船舶などの周辺を守るために出向くことは許されるが、その場合も必要以上に攻撃せずあくまでも自衛の範囲にとどめるべきであろう。

司法部門は立法者・政治家でも業界人であろうとも差別なく人間としての不正を裁くのであるが、検事総長は権力者の圧力伝達に使われるリスクが高いので「正義と公平」であるべき検察庁にこの役職は不必要であり、検事長などの任期も1期だけとし各局検事の合議で交代制とするなども良いであろう。
そして、検事・判事には今までのように外部からの圧力を一切受け付けないようにさせ、立法・行政など要職者の罪を正しく検察・判決しない時には国民にもリコールの場を与えるべきである。

郵便はがき

恐れいりますが
切手を
お貼り下さい

1120001

（受取人）
東京都文京区白山
5－4－1－2F

東京図書出版 気付

青沼爽壱 行

「総論」を無料で差し上げます

本書をお買い上げ下さった方にお知らせします。
『互立論』を互立主義の各論とみなすならば、2008年に出版した『現代社会の条件』（北海道新聞社出版局)は総論と思ってもよいでしょう。まだ当方にその在庫が若干残っておりますので、希望される方にお送りします。以下にお送り先の住所、郵便番号、氏名、電話番号を明記の上、お申し込み下さい。

※在庫がなくなり次第終了とさせていただきます。

お届け先

お名前（ふりがな）	
ご住所 □□□-□□□□	
電話番号	

そして、**自由**と**平等**の国々を減らし真に民主主義的な**友愛**の国を増やし、戦禍を少なくして世界中の人がみな平和に暮らせるようにするべきであろう。

第６章　互立主義の経済制度

自由（資本）主義の国には友愛が欠如しており、多くの人の「生きていく自由」を阻害しても個人の「儲ける自由」を優先させる**市場経済制度**を実施しているが、最近は平等（共産）主義の国も計画経済制度を止めこの制度に戻ろうとしている。
しかし、このような情勢なのでごく少数の富裕層たちが優雅な生活をしている反面で、働いているのに苦しい生活をしなければならない多くの人たちがいる世界になったのである。

友愛（利他・互立）主義の国の経済制度は少数者の利益のためや独裁者の杜撰な計画などによるものではなく、大多数の人々の生活を守り**真に自由で平等な社会**にすることを目的としている。

第１節　虚の富対策

人間は「生きていくために働かねばならない」けれど、現代は「働かずに金で金を得る〈虚の富〉のほうが収益率が高い」からと投機などで莫大に儲ける少数の富豪もいるが貧しい人の方が大勢おり、その原因の一つは世界中に虚の富がGDPよりも多く出回っていることにある。

もともと金は生産した実質的な富を裏打ちするものとして使

用されるようになったのであり、本来であれば実質的な富と同額であるべきであるが、資本・共産両社会では同額以上の貨幣をつくり市場に流通させるので、ダブついた（虚の）金が経済社会を混乱させているようである。

従って働きもせず、実質的富の「代価である金で金（虚の富）を得る」ような金融商品の売買や投機行為などは禁止しなければならないのであるが、現代は市場経済制度に長い間どっぷりと浸かってきたので投機なども当然視されており止めさせることはなかなか難しいであろう。

しかし、第1章第2節で説明したように金融商品や投機の弊害はまことに酷いものであり、これらを止めさせなければ〈世界の貧困〉を改善することはできないと思われる。

また、世界20カ国以上もの国々の過去200年間にもわたっての膨大な統計資料をもとに書き上げたトマ・ピケティの著書『21世紀の資本』みすず書房（2014）によれば、「資本主義社会における株式や不動産への投資により得られる利益は労働者などの働きによって得られた利益よりもはるかに大きい」と歴史的に実証し、このままでは「（ごく少数の）資本を持つ者と（大多数の）持たない者との所得格差は拡大する一方である」としている。

そしてピケティは「21世紀には富の不平等がさらに厳しくなり次第に中産階級が没落して貧困層になる」と述べている。

日本では2018年に働いている人の15％が貧困者であると公表されているが現在はより酷くなったようで一方では人手不足と言われながらも職場のない人もかなりいるようであり、さらに世界中には貧困者が溢れていくように思われる。

なお、株式投資などを続けていれば世界で１％の富裕層が資本（金）でどんどん**虚の富を儲ける**反面で、資本のない99％は働いていても生活が苦しくなる者が次第に多くなり、**実質的富は減産せざるを得なく**なっていき人間社会も崩壊していくであろう。

それでも未だ投機などを続けるべきと考える人には、是非とも前掲した増田悦佐著『日本と世界を直撃するマネー大動乱』や井村喜代子著『世界的金融危機の構図』をよく読まれてから再考されるようお願いしたいのである。

また、市場経済社会では金融業界が文・理を問わず優秀な人材を高給で迎え入れ、金融工学などと称する一般人では理解できないような金融派生商品をつくり上げては巨額の〈虚の富〉をむさぼり「世界の貧困」状態を一層悪化させている。

それ故に、少なくとも金融関係業にたずさわる者たちの給料も一般の業務についている者たちよりも高くすることを許してはならず、特に幹部の給料などは他業種の会社よりも低くし、優秀な人材を〈実質的な富〉の生産業界に誘致することにより、社会を豊かにし「世界の貧困」を改善すべきである。

第2節　富の偏倚対策

現代の社会に貧困者が多いのは〈虚の富〉を許していただけでなく、いくら所得しても制限されない〈富の偏倚〉を認める市場経済制度が世界の主流であることにも原因があった。

富の偏倚を認めるこの制度は少数の資本家や富裕層にとって都合がよいけれど、いくら働いても貧困から抜け出せない多数の人々がいるような社会になってしまったという欠陥がある。

それで、1917年にはロシアに革命が起こり共産主義の社会をつくって**計画経済制度**とし私有財産を禁じたりした。

しかし、その結果は言論の自由のない独裁主義の国となってしまったし、産業も衰退する一方なので最近では**市場経済制度**を良しとしはじめており、〈虚の富〉や〈富の偏倚〉を容認するようになったので、世界は以前にも増して貧困に苦しむ者が多くなってきたのである。

友愛（互立）主義の社会では〈富の偏倚〉などにより生じた「世界の貧困」を改善する方法として、高額所得者たちの所得の消費を制限するなど考えているが、他により良い方法があればそれに代えることには異存はない。

なお、急に所得の制限をするということは非常に困難であるし人間はいくら財産があってもこれでもうよいと思わないであろうが、超高額な所得を使い切れないのも事実である。
また、意外にも富豪たちは質素な生活をしているだけでなく、できるだけ財産を減らさないようにするためなのか、多くのアメリカ富豪は所得税ゼロのテキサス州などに主な住居を移している。
このようにして蓄えた富を子孫に残そうとしているが「働き得た財産はその人の物」であり、本章第３節⑴項に記すように「各人の自立」が大切である事や遺産を得た子孫は働かなくなる事、遺産を受け継ぐのが当然のように振る舞う子孫たちによって恐ろしい事件やトラブルが多発している現実などを考慮するならば本章第３節⑶項のように財産は残すべきではないのであるが、子を思う親心を考慮するならば多額の不労所得はさせられないけれど年間に（日本の場合）60万円以下ずつだけを使えるように下記した基金局へ預け入れすることを認めてもよいであろう。ただし、それを担保に前借りすることなどは禁ずべきである。

そして、所得を制限するといっても漠然としており具体的な数字を示す方がよいが、世界各国それぞれに情勢が異なっているから一律には考えられないけれど、本書では先ず日本での場合としての例を所々に述べるので、これを参考にそれぞれの国の状況に応じた方法等を考えるべきであろう。

また、所得格差は本人の働きによるというよりも運につながっていることの方が多いようである。

そこでよく働いているのに収入の少なかった者に高所得者の利益を分け、全ての人たちがお互いになり立つような社会にするべきなのである。

その橋渡し（救済運用など）をする機関として各国に**人権擁護省**(注)を設置し、その中に**人権擁護基金局**をつくるのが良いと考えられる。

(注) 現時点における仮称であり、より良い名称があればそれに変えてよい。

なお、例として日本における具体的な数字を並べる前に日本の生活最低限の基準額を定めておきたい。

最近の最低賃金の時給は地方により異なっているが、一般に850円くらいから1000円余りなので平均して1000円とした場合に1カ月のうち25日を8時間働けば20万円となるから、現在としては満20歳以上の（世帯主の）毎月の「最低生活費を約20万円」と見做してよいであろう。

以上から、まず（各国に）**人権擁護基金局**をつくり都道府県（または各州、各地区）などに支部を市区町村には支所を設置し、所得税、健保・厚生年金等を差し引かれた所得が高額であった者に一定の拠出をしてもらい、その拠出金を「基本的人権擁護」「各人の自立」のためなどに活用したいのである。

拠出金は拠出者の子孫も含めて次代を担うべき全ての青少年

の学費や、真面目に働いているのに生活できない者への補償費などに充てるものであることを、よく説明し拠出者を納得させる必要もある。

そして、多く拠出した人には褒章（叙勲・表彰など）を受けさせるべきであろう。

高額所得者に拠出（社会に貢献）させたことに対しての褒章は当然のことである。

この拠出金を財源として、「子供が自立してから20歳までの生活費補助や、20歳から老齢年金の出る歳までの働く人に対する最低生活費の補償、世帯主であるのに幼い子を養育しなければならない者への援助費、自然災害の被害を受けた者への救済費、100歳までの老齢年金では最低生活費に達しない者の補塡費と100歳以上の者の完全保護費、高額医療費の助成、児童手当、小中学校生徒手当および中学までの学費・最低の教材費・給食費、高校以上の各校に合格したか期末試験で規定以上の単位を修得した者への（１年間分）学費および生活補助費（注１）、私立大学立法大学院の学費、弁護士の活動費、学術会議・原子力委員会等の運営費（注２）、思想・言論を守る会の活動費」などに活用する。

（注１）食費別の学生寮または20歳未満で市町村立の宿舎に入っている者に対する補助。

（注２）今まではこれらの運営費を政府が出していたから首相独善の犠牲になったり「学問の自由」に反したりしてきたので、基金局より支給し本当に民意に添う

活動をさせるべきである。

なお、基金局に拠出または移管された資産などは税金として納めたのではないのであり、絶対に国の一般予算などに流用しない事をしっかりと定めておかねばならない。

そして税金ではなく友愛の精神から拠出していただいた資金の使途であるから、他の省庁はもちろん首相であっても基金局の行う補償などに干渉を許さず、基金局の行為に少しでも疑いがある場合には国民も訴追できるようにするべきである。

また、高額所得者と同じ人間が懸命に働いていても貧困に苦しむ者が多くいるという現在の「世界の貧困」を改善するため、高額所得者や富裕者はその国の最低限生活費の10〜20倍以上の金額を消費させないと制限し、それ以上の所得（または資産）をまず本人の生活備蓄費として毎月（日本の場合ならば）20万円（最低生活費）を100歳までの分だけ積み立てさせて基金局に預け入れる事とし、積立が完了してまだ資産があれば一定の拠出金を基金局に納入にしてもらい、それを働く貧困者などに再配分することによって世界中の大多数の人々を幸せにしたいのである。

その第１段階として、高収入を得られる人（または富裕者）が消費できる金額をその国の最低生活費×その国の定めた倍率（10〜20倍）までと制限し、それ以上の収益は本人の資産としておくべきなのである。

第２段階は資産を先ず本人の生活備蓄費として（日本の場合

ならば上記のように100歳まで毎年240万円を）積み立てるべきである。そして積立と第３段階が完了するまでは自分の資産であっても消費できないものとする。
第３段階では備蓄積立が完了した後にその国で決めた一定の拠出金を納入すれば、翌年から働いて消費できる金額の他に積み立てた備蓄費の還付分も消費できるものとすべきである。

例えば、生活備蓄費の積立（日本の場合ならば100歳まで毎年240万円）が完了し各国の定めた拠出金を納めなければ自分の備蓄費であっても勝手に消費できないが、一定の拠出金を納入すれば翌年から（日本の場合に制限倍率を15倍とすれば）働いた3600万円まで（それ以上は資産となる）の金額の他に積み立てた備蓄費の240万円も消費することができる。
それでも未だ資産があり、更に上記のように備蓄費を積み立てて一定の拠出金を納入すれば、翌年からはその年に働き消費できる金額の他に最初の積立備蓄費（240万円）＋後からの積立備蓄費も消費できるのである。
反対に本人の積立金・拠出金が不足な場合には、それを次年度以降に繰り越していくようにすることは当然であろう。

そして、資産で事業などをする場合には資産で資産を増やすつまり虚の富をつくる事にもなるから、（社員などには正当に給料を払うべきであるが）本人の利益は制限されるべきであり損失は責任をとらねばならないのである。

資産を提供しても投資しただけでその事業で働かない場合に利益を得てはならないけれど、その事業で働いた場合でも原則として利益を多く得てはならない。

それは働いていても資産（金）を利用して虚の富を得ようとしたことに類似しているからで、資産で事業をしその職場で働いた場合の収益を制限する方がよいであろう。

また資産は本人のものであるから、寄付することも自由であるが目的が福祉・教育・研究施設など納得できるものに限るべきであり、宗教は盲信させられる恐れがあるので寄付できる金額を十分に審議してから定めるべきなのである。

なお、備蓄積立金・資産があっても拠出せず事業にも使わず寄付もしない時は相続も認められないから、本人の死去した場合に全てが基金局に移管される。

そして世界には巨額な資産をもつ人の多い国と貧しい国があり、その格差が非常に大きいので資産家の多い国の人権擁護省は貧しい国の人権擁護省を援助するべきであるし、基金局の援助で生活ができたり学費が払えた者は援助を受けたことを忘れずできる範囲で基金局に拠出金を納入すべきであろう。

次に、これまでは一般に働く人について述べてきたが、専業主婦（夫）たちの働く場合は家事などもあるから働く時間を原則として１日に４時間くらいまでとすべきであろう。

そして、働く時間帯に手のかかる子供、老人などの面倒をみてくれる施設を国がつくるべきであり、そこでの経費や勤務する者への報酬などは施設利用の専業主婦（夫）たちが働いた給与の４分の１と基金局からの助成で賄うようにしたい。

ただし、専業主婦（夫）ではなく夫婦がともに働き家事を分担している場合は制限などない。

資産家が死亡した場合には全てが基金局に移管される。しかし、資産家で預託した者と結婚して20年以上夫婦であった者には、預託した還付金の半額かもしくは残された主婦（夫）自身の老齢年金が毎年支給され、基金局に移管した住宅などに住み続けることも許される。

ただし、他人に使用させることはできないのであり、夫婦であった者がその住宅の維持費を出せない場合には別の住居に移らねばならないがその手続きなども基金局が面倒をみるべきであり、主婦（夫）以外の遺族などが死亡した者の建てた住宅に住みたい時は基金局に家賃を支払わねばならない。

そして、結婚期間の短かった主婦（夫）は、結婚していた月数と同じだけの期間は上記に準じての還付金などが支給されるし、同じ月数だけは従来の住宅に住み続けられるものとすべきである。

なお、資産家が死亡した時に幼い子や中学生以下の子供が残された場合には、基金局が中学を卒業し自立できるまで面倒をみるべきであろう。

第３節　その他の対策

(1) 自由・平等と自立

この世に生を受けた人はみな自由・平等でなければならないが、今までの社会では一般に金持ちの家に生まれた子は裕福に暮らせるが、貧乏な家に生まれた子はいくら努力しても貧しい生涯であることが多く、学費がなく才能を埋もれさせた者もいるのである。

また、いつまでも「親の干渉を受けているのが嫌だ」と思う子のなかには、暴走族や（反抗して）家庭内暴力を振るったり、引きこもりになったりする者もいた。

それが最近は就職環境の悪化にともなって、中高年の引きこもりや「8050問題」も深刻化し、2019年５月28日に児童たち19人を殺傷し自殺した容疑者（51）はいつも引きこもりがちであったといわれており、その４日後の６月１日には元官僚が引きこもりがちで家庭内暴力を繰り返していた長男（44）を殺害するという事件も起きている。

６月16日には、エリート（テレビ局常務）の父（63）を憎む息子（33）が警察官を刺殺し、拳銃を奪ったのは父親の誕生日に犯行を計画していたからであったとも報道されている。

なお、「引きこもり」などを狙って自立支援を謳い、引きこもりの子供を無理やり連れ出し、法外な料金を請求する悪質業者の「引き出し屋」も各地にできていて被害者もかなりいるようである。

そして、2018年1月に札幌市中央区のアパートで82歳の母親と引きこもりの52歳の娘が衰弱死していたのが見つかり、報道紙には全国的にも「引きこもりの中高年とその親の孤立死」は後を絶たずと記されていた。

このような引きこもりや親子の愛憎などによる事件が多発するのは、親がいつまでも子をかばい自立させない社会であったからであろう。

それらと貧困の連鎖などという不平等な社会をなくするためにも子たちの「自立を早くさせるべき」と考えられる。若い子を社会に出す歳を定めるのは難しいことであるが、中学校を卒業した歳から親の許を離れ住居および生計を別にし(注)親などが一切援助してはならないとするのがよいのではと思われる。

(注) 村上龍著『13歳のハローワーク』幻冬舎 (2003) など参照

しかし、そのような若者が住居を持つことは困難であり、働いても収入が少ないので、原則として満20歳になるまで(注)は政府が男女別の公共宿舎(食事代は別途とする)を各市区町村に設置して若者が暮らせるようにし、いくら働いても生計の立たない(不足分の)金額は人権擁護基金局が補うようにすべきであろう。

また、公共宿舎に入居している若者は本人の希望する場合にかぎり、週に１回くらい２時間程度まで家族などと会うことを認めるものとし月に１回はともに食事などすることを許してよいであろう。ただし、若者に金品・衣服等を渡すことは絶対に許すべきでない。中学卒業後の（自立）者を親などが援助するべきではないからである。

（注）20歳未満で**公共**の宿舎に入っている者を準世帯主とみるが、**自立**して生計を立てられ公共の宿舎には入らなくてよい者を20歳以上の者と同様に世帯主として扱うべきであろう。

次に、自立者には職安が必ず職を斡旋すべきであり、どうしても適職がない場合は政府が食糧生産のための仕事を世話したり養殖などの研究所や施設を新設したりもしなければならないのである。

そして20歳以上の働いている者（世帯主）でも、自然災害などで月に20万円まで得られない場合には基金局が（よく調査して）補償するべきである。

また、個人で飲食店などを営業したい者には政府がその地域の利用客数などをよく統計を取り調査したうえでその地域に見合った店舗数までは許可すべきであり、許可を受けた者がどうしても生活できなかった時には別の職業を斡旋したりもしなければならないし、再教育費などは補助するべきであろう。

なお、補償や補助はこれらの個人勤労者に対してのみで企業は対象外であり、個人のものでも支店には援助しないがその店の個人勤労者は対象とすべきである。

資本主義の国では先ず少数の富裕層と大企業がなり立つことから考えるし、共産主義の国は権力者たちのなり立つように考えているようであるが、互立主義の国では個々の人権擁護を完全にし全ての人がお互いになり立っていけるようにするべきであり、中小企業も大企業とともにお互いになり立っていくような制度にしなければならない。

⑵ 児童手当と教育費等

成人の貧困には社会制度の欠陥・天災・本人の努力などいろいろあるが、子供の貧困は本人には全く原因がなく親の所得不足などで生じるものでまことに不平等である。

従って、親の収入が少ない家庭には人権擁護基金局より毎月一定額の児童手当などを支給する制度をつくるべきであろう。

また、小中学校の学費・最低の教材費・給食費等は、すべて基金局より支給すべきである。

そして、若くして自立した者および高校以上の入試に合格した者は、市区町村などの公共宿舎もしくは各学校の男女別宿舎に入れるようにしたい。

また、高校以上に合格した者や学期末に規定以上の単位を修得した学生には1年分の生活費として、基金局より（日本の場合は）毎月10万円程度の生活費が支給され学生はそこから食事代などを支払うようにしたいし、その間の病気治療費などは基金局とよく相談のうえ補償してもらうのがよいであろう。

なお、規定の単位を修得できなかった者が勉学を続けたければ働きながら勉強し、もう一度、学年末試験を受けて進級(注)を目指すことも卒業するまで働くこともできる。

(注) 進級できた学生は月10万円の生活費を１年間受け取ることができる。

学業を続けず自立して働く者は満20歳までしか公共の宿舎などに入ることはできないが、学業を続けたい者や他校へ転校できた者などは年齢にかかわらず各学校もしくは公共の宿舎に入れるものとすべきであろう。

⑶ 相続と家業

人はみな平等でなければならないが今までの社会には相続の制度があったので、人々は生まれた時から貧富の格差がつけられ貧困の連鎖などに苦しむ人もいた。

そして、遺産（殊に財産が多額な場合）の相続には関係者たちの醜い欲望がからむことが多く、殺人事件を引き起こしたりもしているのでこの相続制度は廃止すべきなのである。

また、働き得た資産はその人のものなので相続などはさせず基金局に移管すべきであり、子孫たちも本節⑴項で述べたように「自立」することを考えねばならない。

ただ残せるならば、生きているうちの自分の病気治療費や死後の葬祭費などを用意することはよいと思われる。

なお、本人没後に祖先供養する分としては原則として毎年20万円を限度として、30年間くらいまで遺贈することなどはよいがこれを担保にして前借りすることは許さず、毎年受け取れる金額は墓地の維持費や墓参などにだけ使えるものとすべきであり、もしも先代が残した遺贈分がまだ残っている場合はそれが終わってからの30年間分としてもよいであろう。

そして、それ以外の遺産は原則として基金局に拠出または移管すべきで、子たちに相続させ社会に波風を立てさせてはならない。

特に金品はすべて遺族に渡すべきでないが、子孫代々まで伝えねばならない財物などは残してもよく、遺言があれば1人数品くらいの財物などを受け取れるものとしてもよいであろう。

ただし、それが高価なものの場合には受取者が勝手に売買することを許さず、その残された財物が必要でなければ基金局と相談し博物館などに寄贈させるのもよいであろう。

次に、遺産相続の廃止により問題となる家業などの継承につき例を挙げ検討してみよう。

まず、個人の家業として食糧を生産する者の生活は政府の政策で保護されるべきであるが、救いきれないところが多いので基金局はしっかりと保障すべきである。

例えば、農（漁）業などを引き継ぐ適応者（注1）がいる場合は、基金局に移管した先代の田畑・軽農機具（小型漁船・付属用品）（注2）と住居を無償で貸与し勤労させるべきである。

ただし、最低限生活程度以上となる住居などには、賃料を基金局に支払うべきであろう。

（注１）家業でも個人ではなく企業や支店などは原則として人権擁護の対象外とするべきである。また、中学卒業後の子が手伝う場合には必ずその労働に相当する給料を支払わねばならない。

（注２）共用できる大型農機具や個人用の小型魚船などは各市区町村が購入して農・漁民に貸与し勤労し易い場をつくるべきであるが、燃料代などは使用者の負担とする。

そして、農（漁）業を引き継ぐ者は、原則として先代が引退しないうちは別の住居または公共宿舎から通勤すべきなのであるが、田畑・果樹・畜産等で夜も人手が必要な場合にかぎり同家に宿泊することを認め、その必要がなくなれば以前からの宿舎などに戻る方がよい。

また、引退したので同居する場合は先代を大切にするべきであり、同居した家屋が狭ければ引き継いだ者が増築(注)するか別な住居から通勤させるべきである。

（注）この場合は基金局も相談にのる方がよいであろう。

基金局は家業として店舗を継続する者がいるか、若しくは基金局に移管したけれど周囲住民の生活のために必要と認められる店舗部分を引き継ぐ適応者がいる場合には無償で貸与しそこで働くことを許すべきである。

しかし、その店舗を売却したり貸したりすることはできないものとし、居住部分などについては基金局とよく打ち合わせ賃料を支払うべきであろう。

先代の個人医院などを継承できる医師には、基金局に移管した医院ならびに備品を無償で使用することを認めるが状況によっては一部を有償とする場合もある。

ただし、改修費や維持費や不足な備品等は継承者が購入しなければならないし居宅部分については賃料を支払わねばならない。また、医院が大規模すぎる場合は基金局とよく打ち合わせして決めねばならない。

なお、ここで確認しておかねばならない事は以上に述べている無償で使用できるものは、あくまでも個人としての物件であり法人などのものは含まれないのである。

そして、ここまで貧困者が多かった社会を改善するための対策を述べてきたが、他にもよい対策があるならばそれもつけ加えるべきであろう。

第４節　産業別情報経済制度について

産業別情報経済は本章第１節から第３節までの趣旨に添い、市場経済・計画経済より優れている他の理論(注)をも取り入れて実施していこうとする制度である。

(注) ジェフリー・サックス著『地球全体を幸福にする経済学』早川書房 (2009)、宇沢弘文著『社会的共通

資本』岩波書店（2009)、ジョセフ・Ｅ・スティグリッツ著『世界の99％を貧困にする経済』徳間書店（2012）他

昔は衣食住程度のものであった産業がだんだんと広範囲になってきたけれど、現代の市場経済や計画経済制度ではそれら産業の特性を考慮せずにただ働くことだけを勧めてきたから、各産業に内在する不都合な問題点が表面化し大勢の貧困者や弱者を発生させることになったのである。

従って、産業別情報経済制度では各産業につきよく情報を収集し内部にできる不正な部分を排除し、その産業により人々が幸せになっていける対策のもとに働くようにするべきなのである。

しかし、広範囲にわたる産業すべてを筆者ひとりで情報をあつめ特性に適応した対策を考えることは到底できるものでないのであり、今後多くの方々の審議により決めていかねばならないであろう。

その参考までに筆者が記すことのできるものを若干次に述べるが情報や対策などに誤りがあればお改め願いたいのである。

⑴ 食糧生産業

産業の中でも食糧生産は重要であり、各国は原則として輸入しなくても自給できるような政策をとるべきであり、国民も力を尽くさねばならない。

もしも輸入先の国に天候異変などがあり減産するようになれ

ば、輸入に頼っている国の国民は餓死しなければならないことにもなるのである。

食糧生産はその国の重要な産業であるから、政府はこの産業の生産政策には力を入れねばならない。

しかし、現在までは農（漁）民がいくら働いても食べていくことさえ大変な人たちが多かったのである。

一般に働く人や会社員などは企業側が働く場所から必要用品まで提供してくれ労働さえすれば収入があったが、農（漁）民は労働するだけでなく田畑・農機具・肥料代（漁網・小型漁船舶・燃料代）などまでも負担しなければならず、真面目に働いていても困窮しやすいので離農（漁）業者を大勢だしてきたのである。

従って、農業に必要な開墾・土地改良などは勿論であるが田畑・小型農機具(注)・最低限の肥料代などの費用を政府（農水省）が負担し、職場を提供することによって会社員などと同じく農民も「労働することで収入を得られる」とすれば大切な食糧生産の担い手を確保できると思われる。

その他、山間僻地を開墾した場合などには状況に応じて小型トラックや最低限の住居等も考慮すべきであろう。

そして、働いている農家が自然災害などで生活できない場合は政府が保護政策をとるべきである。

また、今までは不動産業者などが割合と容易に農地を宅地に転換してきたが、今後は農水省が宅地にされようとしている面積以上の広い農地を開墾し、土地改良もして宅地予定地で収穫していた以上の食糧ができるようになるまでは宅地に転換する許可を出してはならないと法律で定めるべきである。

（注）大型農機具などは各市区町村が国と連携して必要数を購入管理しその地域に住む農民たちが持ち回りし使用できるようにする。

同様に、国が個人の漁業用小型船舶・網小屋・燃料代などを負担し漁民は労働するだけで収入を得られることにしたいが、小型船舶等はどうしても必要であると認められる者に限り貸与されるものであり、燃料は浪費を防ぐため各市区町村などの管理のもとに使用すべきであろう。

ただし、上記のように職場の提供を受け得た者は生産物を必ず公共の市場に出すべきで個人または企業などへ直接に引き渡してはならないし、市場は原則として生産物の全てを引き取るものとすべきであろう。

また、生産物を市場を通さず直接に販売したい者は上記のような職場の提供を受けられないことも考えねばならない。

特に、日本は農業人口が激減しているし千島列島を占領されてからは漁獲量も少なくなり、食糧を60％以上も輸入せざるを得ない状況が長く続いていることを真摯に受け止め対策には力を入れるべきである。

⑵ 医師・弁護士

以前の日本には「医は仁術(注)なり」という風潮もあったけれど、資本主義の社会となった現在では医師も経営を念頭から外せなくなっている。

しかし、病人や家族だけでなく全ての人にとっても「医師は医術に専念して欲しい」と願わずにはいられない。

従って、医師と経営者を別にすることを提唱したいのであるが、その詳細については多くの方々のご意見を仰がねばならないのであろう。

(注) 特に江戸時代によく用いられ「医者は人命を救うのが、倫理的な使命である」とされていた。

また、人権擁護に大きな力を発揮するはずであった弁護士も今までの社会においては、自分たちの生活のため金持ちに味方し貧しい者には冷たいことが多くならざるを得なかった。

そして、大企業・権力者などには弁護士団までつけられたし、ヤクザ・悪徳商法会社の顧問弁護士となる者もいるという不平等で不正な状態でもあった。

互立主義の社会では、厳しい国家試験に合格し実務研修もした弁護士のために政府（法務省）は備品付き事務所を各市区町村に必要なだけ設置するべきであろう。

そして弁護士費用は1件につき国選と私選を同額としたいのであり、着手金はとるべきではない。

また、現地調査費・出張旅費の実費などの請求は基金局に提出し監査を得て支払われるものとしたい。

もしも弁護士が実費の前払いを受けなければ活動ができない時や、補助の調査員・庶務係員各１名の給料を出しきれない場合などには基金局と相談して解決すべきであり、働いている弁護士の収入が最低賃金の２倍（日本の場合は40万円）未満ならば基金局の補償を受けるべきであろう。

なお、弁護士は個人や企業の顧問になったり、研修以外で他の弁護士などに雇われたりすることは避けるべきである。

⑶ 書籍とスマートフォン産業

最近スマートフォンが普及し熱中する者も多いけれど、その殆どが娯楽、飲食、漫画、個人的通信などであり、ニュースも興味本位に偏ったりしているのに「もう新聞は必要ない」とさえ言う者もいる。

そのような状態なので最近は書籍分野の業界が不振であり、書店などの倒産も相次いでいるようである。

しかし全ての人たちが物事を一見するだけで、よく考え正しい判断をしなくなれば人間社会は崩壊していくことであろう。

パスカルの言うように「人間は考える葦」である。人間から思考することをとるならば、他の動物たちと同じかそれ以下になるかもしれないのである。

そして、スマホやTVなどを一見するだけで「よい判断」のできる人もいるかもしれないが、一般の人には無理であり矢張り書籍や出版物などをじっくり読み返したりして「よく考えて」から判断した方が正しいものになると思われる。
　従って、人間社会のために書籍部門の回復を願うと同時に、これほど熱中できるスマホ等を学習・調査や研究・分析などにもっと活用させねばならないであろう。

　以上に少し述べたが、**産業別情報経済**はさらに全ての産業についての詳細な情報を基にし、これからの社会のためよりよい方法を見出さねばならないのであり、それぞれ専門分野の方々によって各産業・職種別に内在する不平等・不正を取り除き人間社会の大多数の人々にとって本当に有益で適した産業・職種であるように検討されてから決定し、それを実行して世界中の貧困者を少なくし大多数の人々が幸せに暮らせるようにするべきなのである。

終　章　幸せに生きていくために

民主主義の国であると思わされている**国民は**、平和と民意の立法化などを求めて**国会議員を選出し**、それらを実施する**行政機関へ税金を納め**ている。

しかし世界各国が現在行っている政党政治(注)は、**議員が**民意に反しても**党の方針に従っている**のであり、行政部門の**首長は**大多数の国民よりも少数の**富裕層や大企業か権力者を優遇している**のである。

(注) 第5章第1節参照

共産主義の国は独裁体制なので民主主義でないのは当然であるが、資本主義の国も行政部門の首長独善の政治体制であり決して民主主義的な政治は行われていない。

このように現代は真に民主主義でない国ばかりなので、世界は常に戦争状態にもなり大勢の戦死者や難民を出している。

また、世界の主流となっている**市場経済制度**は「虚の富」と「富の偏倚」を容認しているから世界人口の1%である富裕層にのみ利益を得させており、99%である私たちに対しては冷たいのである。

それでも、多くの国民は日常の生活に追われていて「今のままでも何とかなるであろう」と従来からの政治体制・経済制度を疑いもしないようである。
自分自身と仲間および子孫たち（全人類）が滅亡するかもしれないことに気がつかず政治体制・経済制度に無関心な人が多いからでもあるが、現代社会の危機を敏感に感じ取れる人や自由・平等両主義のもとでは決して幸せになれないと気がついた人たちも少なくはなかった。
しかしその人たちも、今までは「従来よりも良い社会に変えていける」理論がなかったから、ただ**デモなどで反抗するだけ**なので最終的には官憲に鎮圧されるか自然消滅せざるを得なかったのである。

これからは友愛主義の理論があり、その中の**利他主義**については『2030年ジャック・アタリの未来予測』などで、**互立主義**は本書により知ることができるので、人類が自由・平等両主義におし流され崩壊する以前に、如何にすれば自分たちが幸せに生きていけるかを真剣に考え活動しなければならない。

幸いなことに、現在はスマホやコンピューターなどが発達している。これを使って惰性に流されている人たちに「国民は主権者である」ことや、その私たちや仲間が「貧困」と「戦禍」に苦しめられている現実を繰り返し応答し合い、世界中で「現在の社会は改善すべき」という意識の波動をだんだん大にしていくべきであり、「真の民主主義社会にして生き残ろう」と大多数の人たちが納得するまで交信し合うべきである。

ただし、くれぐれも暴力を扇動するような発信はするべきでなく、時間はかかるけれど資本主義や共産主義をいつまでも支持している人たちは「生き残れなくなる」ことをよく説明し、利他主義か互立主義の国にすれば「私たちは生きてゆける」と知ってもらえるよう働きかけねばならない。

また心配なことは、独裁の共産主義の国には以前から「言論の自由」が少なかったのであるが、最近では資本主義系の国の首長たちも国民の「思想・言論の自由」を制圧し始めているという事実である。

2016年に来日し「言論・表現の自由」を調査した国連特別報告者デービッド・ケイも、安保法に関連する日本の「特定秘密保護法」により報道が萎縮(注1)していることを報告し、放送法４条の廃止(注2)や記者を処罰しないことなどを明文化するよう勧告したが、2019年になってもその勧告は履行されていないとする新たな報告書を提出している。

(注１) 望月衣塑子、Ｍ・ファクラー共著『権力と新聞の大問題』集英社 (2018) 参照
(注２) 村上勝彦著『政治介入されるテレビ』青弓社 (2014) 参照

言論の自由を失うことは、表現・出版などの自由も無くなり、**全ての人に**「自由に生きていける」**未来がなくなってしまう**ことであり、日本でも戦時中には画家・文筆者などが投獄さ

れ拷問を受けたし獄死者も出している。

現在もデジタル管理（規制）を行っている韓国に続くかのように、日本はデジタル庁の設置を柱とする法案を可決し2021年９月から発足した。

また、ロシア軍がウクライナに侵攻するとともにプーチン大統領は「軍に関する情報を強化する」と称して、最悪の場合は懲役15年を課す法案に署名している。

これらの情報流通に関する法律は、思想・言論の自由に圧力をかけ監視社会にしてしまう恐れが十分にある。

そして、日本で上記の法制定に係わった委員の方の中にも「行政が保有する個人の情報を政府が独占するので**デジタル監視法案**と呼ばざるを得ない」とし、プライバシー保護のため「抜本的な修正をしない限り廃案にすべきもの」との意見を新聞に寄稿された人もいるのである。

なお、中国は以前からデジタルでの国民監視を強化し、会員制交流サイト（SNS）の投稿も監視対象にしている。

2021年２月にはニュースを扱うアカウントを許可制とし、海外製SNSにも警戒しており、今後は今までにない手法で情報封鎖を徹底して共産党の独裁体制を固めようとして、10月に民間企業が報道事業に参入することを禁じる案も公表した。

これは通信局、新聞社、テレビ局などの設立や経営を禁じるものであり、世界中のすべての人たちが安閑としていることは許されなくなっている。

今なのです。人々が「生きていく」ために、今こそ言論・通信の自由を有効に使うべき時です。

まだスマホやコンピューターが制限されてしまわない間にこれらを駆使するべきであり、文章を書ける人は自分の意見をできるだけ多く発表し、良い意見・良い著書があればそれを繰り返し繰り返しポスト・リポストするべきであり、書けなければ仲間たちと語り合うことも大切である。

それらができない人でも選挙の時には安易に従来からの議員へ投票することを止め、たとえ好きになれない人であっても真剣により民主主義的な人を選出するべきであろう。

「世界は市場経済が主流だから、世界中の99%の人たちは貧困化していく」「各国が真の民主主義政治をしないので戦禍が止まない」「このままでは人間社会が崩壊していくし、核戦争にでもなれば人類は全滅する」ということと、「私たちが生き残るには友愛（利他または互立）主義の国にしなければならない」ことを何度でも発信し合ったり、語り合い続け世界中にその気運を充実させねばならない。

気運を高めていくことは簡単でなく非常に根気を必要とするけれど、現在は私たちと子孫がみんな死滅するか否かの瀬戸際に立たされているのであり決して中止すべきではない。

2020年5月に前例のない検事定年改正案を安倍首相が独善で声明したときに、会員制交流サイト（SNS）の交信によって批判がもり上がり、これを廃案にしてしまった実績もある。
デモや火焔ビンでも駄目だった政治の不正をくい止めることができたのである。

私たちは「生き残る」ために、パソコン・スマホなどを大いに活用して交信し合い、世界中の全ての人の力で「言論の自由」を守り友愛主義の国を多くしていき、私たち自身と子孫の**生きていく自由を確保**し**平等に暮らせる**ようにしなければならない。

また、ここまで「世界の貧困」「各国の戦禍」を改善するべく述べてきたが、世界全体を一斉に友愛主義の社会にして真の民主主義国家にすることは不可能である。
従って、現実の活動としては各国ごとに国民が結束し、SNSなどによって世界中と交信し合うと同時に、それぞれ自分たちの国に友愛主義をとり入れるよう努力しなければならない。

そして、世界中を真の民主主義国家にし人々がお**互いになり立**ち幸せに生きていかれるようになるまで頑張るべきなのである。

青沼　爽壱（あおぬま　そういち）

1928年北海道生まれ。日本大学法学部在学中の奥田吉郎君と私や都内私立大学生と全国青年有志が中心となり、後に総理になられた鳩山一郎氏に会長をお願いし友愛青年同志会をつくった。卒業後同大学に勤務し友愛主義の実践理論を研究していたけれど、帰道せざるを得なくなり北斗社会科学研究所を設立。現在に至る。

【著書】
『現代社会の条件』北海道新聞社出版局（2008）、電子書籍『世界の現状と互立主義』幻冬舎（2021）他

互立論
— みんな幸せに生きていこう —

2024年５月21日　初版第１刷発行

著　　者　青沼爽壱
発 行 者　中田典昭
発 行 所　東京図書出版
発行発売　株式会社 リフレ出版
〒112-0001　東京都文京区白山 5-4-1-2F
電話 (03)6772-7906　FAX 0120-41-8080
印　　刷　株式会社 ブレイン

ISBN978-4-86641-668-7 C0095
Printed in Japan 2024